国家出版基金项目
NATIONAL PUBLICATION FOUNDATION

《三联经典文库》

第二辑

2012年国家出版基金项目

三联经典文库

124

中国外交史

钱亦石　编著

生活·讀書·新知 三联书店

图书在版编目(CIP)数据

中国外交史 / 钱亦石编著. -- 北京 : 生活·读书·新知三联书店, 2014.1
（三联经典文库第二辑）
ISBN 978-7-108-04456-3

Ⅰ. ①中… Ⅱ. ①钱… Ⅲ. ①外交史-研究-中国 Ⅳ. ①D829

中国版本图书馆CIP数据核字(2013)第050824号

124 中国外交史

责任编辑	曹明明
封扉设计	蔡立国
责任印制	李思佳
出版发行	生活·讀書·新知 三联书店 (北京市东城区美术馆东街22号)
邮　编	100010
经　销	新华书店
印　刷	北京市松源印刷有限公司
版　次	2014年1月北京第1版　2014年1月北京第1次印刷
开　本	787毫米×1092毫米 1/32　印张 8.125
字　数	112千字
定　价	30.00元

《三联经典文库》出版缘起

适逢生活·读书·新知三联书店八十华诞，为弘扬传统，接续文脉，回报读者，服务社会，我们决定策划出版《三联经典文库》。

1932 年 7 月，生活书店在上海创办，此后，读书出版社和新知书店相继成立。本文库第一辑、第二辑所选图书，来自于这三家出版单位及其分支机构，以及 1948 年生活·读书·新知三联书店成立后的出版物，始于 1932 年，截至 1951 年，两辑各一百种。此为第二辑，涉及政治、经济、社会、军事、思想文化诸领域，涵盖专著、文集、散文、小说、诗歌、传记、报道等体裁，既有直面现实、追求真理、讴歌真善美、抨击假恶丑的原创作品，又有引介世界各国先进文化、传播新知、开启民智的迻译之作，真实记录了那一代知识分子的思考与探索、理想与愿景和对中华民族文化传承与创新所做出的努力与贡献。

本文库所辑入各书，多为名家名作，在版本方面，以初版一印本或经著译编者审定、修订、增订过的版本为首选，因此本文库又具有较为珍贵的版本价值和收藏价值。

本文库还将编选续辑，使之成为恢弘文化工程。诚挚希望读者给予批评和指正，帮助我们完善编选工作，再现三联经典作品之风采。殊为遗憾的是，由于年代久远，一些原著译编者及其后人未能取得联系并奉付稿酬，诚盼版权所有者与我们联系。祈愿三联前辈所创造的精神财富能薪火相传，为中华文化的伟大复兴增光添彩。

《三联经典文库》编辑委员会

2013 年 8 月

凡　　例

一、本文库为重排本，由繁体字竖排版改为简体字横排版。

一、以忠实于原作、整旧如旧为编辑原则，对当时使用的专有名词、外文译名，以及民国时期的语言和特色予以保留。

一、原书注释如旧，编者所出的注释，均以“编者注”标明，以示与原书注释的区别。

一、对原书残缺或字迹漫漶之处，以□示代。

一、对繁简文本转换时的“如右”、“见左”一类，对应改为“如上（前）”、“见下（后）”。

一、对原书中各种错讹脱衍之处，直接订正，不再以其他符号标示。

一、对数字、标点符号的用法，在不损害原文语义的情况下，做必要的规范。

一、本文库各书均前插原书书影、原书版权页和文库版“本书出版说明”。

一、本书出版说明的撰写，以客观中立为原则，扼要介绍本书的内容、版本流转、著译编者的情况。

本书出版说明

本书是钱亦石先生在上海暨南大学和政法大学任教时所编写的讲义。全书按照时间顺序，分八章介绍了从鸦片战争之前到“九·一八事变”之后中国的外交状况。从资本主义的发展过程、帝国主义对外侵略的需要和原因、中国各个时期政府的外交对策几个方面，论述了中国在世界资本主义崛起和发展的大背景下，所遭受的侵略历史，以及中国人民奋起抗争的历程。在叙述历史事件之余，客观分析事件发生的内在原因和后果，是本书最大的特点所在。本书于抗战期间出版发行，对当时的抗战形势产生了重要影响。

本书由生活书店初版于1938年9月，1939年1月在西安再版。上海生活书店1947年5月出版胜利后第一版。此次出版，即以初版本为底本。

钱亦石（1889-1938），原名城，字介磐，笔名啸秋、史庐、谷荪、白沙、石颠、巨涛、楚囚等。湖北咸宁人。出生于书香之家。1924年，加入中国共产党，与党的早期创始人董必武、陈潭秋、恽代英等积极推动国共第一次合作，大革命失败后先后赴日本、苏联学习。1930年回国后，以大学教授的身份从事教育和文化出版，全身心投入抗日救亡运动。1938年因积劳成疾病逝于上海，被董必武称为“红色教育家”。主要著述有《近代中国政治史》、《现代教育原理》、《中国怎样降到半殖民地》等，编写《世界发明家列传》、《世界思想家列传》，译有《德国农民战争》。

生活·读书·新知三联书店

2013年8月

生活书店 1938 年 9 月初版书影

中國外交史

每冊實價九角
外埠酌加寄費

編著者 錢亦石

發行者 生活書店

漢口：交通路六十三號
廣州：漢民北路五十號
重慶：武庫街二十一號
香港：皇后道一七五號
西安 長沙 成都 梧州
桂林 貴陽 昆明 蘭州
宜昌 萬縣 衡陽 吉安
天水 南鄭 南昌 上海

印刷者 生活印刷所

中華民國二十七年九月初版(S)

原书版权页

目次

序　言

在我们这次对日本帝国主义强盗的抗战中间，牺牲得最光荣的，要算钱亦石先生。自“八·一三”沪滨的烽火燃起以后，大家都知道战区宣传与组织工作的重要，但是一般说这话仍只是从“理论”上出发，而实际行动的还是很少，亦石先生首先放下笔杆，组织战地服务队，到张发奎将军所指挥下的沪杭线去工作。他的这种“从理论到实践”的精神，当时给上海文化界的影响很大。此后有好多的人，都受他的感动，不怕辛苦，不怕困难，成立或加入宣传队，工作队之类的组织到内地去服务了。在工作中，亦石因劳碌过度，首染疟疾，一同工作的朋友，都劝他休息，但他仍力疾工作，以致病情加重，由疟疾而转成伤寒症。自敌人从金山卫迂回登陆侥幸成功后，形势吃紧，他才由前线抱病回到上海租界里面来，在他刚进法租界后不到一个钟头，敌兵就到了他入口的那个地方。一九三七年一月底，因医药无效，他便离开自己的正在斗争中的祖国而逝世了！所以，亦石先生的为民族解放而牺牲的精神实在是值得我们学习的。

亦石先生不仅是个“实践家”，他对于革命理论，也很有研究。他的国文程度，造诣很深。他的文笔流利，生动有趣。不论怎样一个题目，在他的笔下，都由浅入深，写得津津有味。同时，他的观察，也十分深刻，他对于每个问题，他都分析得很精到。所以，他的著作，很受广大青年的欢迎。

亦石先生的著作很多。在他去世以后，朋友们为纪念他起见，计划把他的译著，加以整理，出一全集，只因战时印刷困难，这一计划，未能顺利执行。

本书是亦石先生在上海暨南大学和法政学院任教授时所编的讲义，关于帝国主义如何侵略我国，分析得很深刻。在目前抗战期间，此种读物，极为需要，爰决定先出单行本，以飨读者。

张仲实

一九三八年九月一日于汉口

第一章 绪论

第一节 外交史的内容

凡所谓史，并不是把过去曾经发生的事实，巨细无遗的一一记录下来的东西。因为这样的东西，只能做我们的参考材料，不能给我们以智识；而史，应是一种科学，使我们了解过去，了解过去某一类事实的因果关系，以至对于目前这类事实，能有更有把握的认识，更有计划的处理，以达到所要达到的目的。例如纪事本末，只能说是一种文学性质的史书，不是一种科学性质的史；编年体的通鉴，只能说是一种“年鉴”汇编似的史料，不能说这就是史。

我们要研究一种史，目的并不只在知道许多事实，说起来可以炫耀自己的“博闻强识”；主要的是在了解这许多事实的前因后果，而研究出一个避难就荣，革弊兴利的方法来。因此，所谓史，就决不是史实一堆的记载，而是用科学方法把史实整理过，批判过的详述。换言之，史，与其说是记载，不如说是带有说明的叙述。

外交史要讲些什么？它决不应讲些历来外交上许许多多琐屑事情，它应该讲的是历来外交政策的变迁，这种变迁的根据和其得失。我们知道，外交，并不是它自身能够单独存在的东西，它只是某一种政治系统之下，在邦交关系上运用一种手段来完成这个政治任务的策略。如果要离开政策来讲外交，就决无外交可言，勉强要讲，也只是些毫无意义的外交故事，不能成为外交史。

社会的存在价值，不只在其能为构成分子争取生存，并要能为他们谋得利益的发展。这必需有一个明确的政纲做根据以定出有系统的政策来，为有计划的建设，才能完成这个任务。在国家尚未消灭的时期，一国人民的利益不能不与他国人民的利益或一致或冲突。因此，一国政纲的实现，就不能不与他国政纲的实现发生相互作用，或相资助，或相抵触。于是，只有各种建设计划的政策仍属不够，必须再有一种外交政策，用外交手段，使本国的政纲政策，至少不至因和他国抵牾而减低实现的程度，甚至要利用他国的政纲政策来使本国人民利益得至更大更快的发展。因此，所谓外交，决不是“水来土掩”那样在事变来了以后出来应付一下那种无可奈何的消极办法，而是有计划的度量他国情形，使本国政纲能在邦交关系上得着健全的发展的一种积极政策。所以，我们问到某国某时的外交是什么时，就是问其外交政策是什么，并及当时某国的外交政策为什么是这样而不是那样，是否和它当时的整个政策相一致，在它当时的整个政策上发生了些什么作用，帮助了还是损害了，等等。离开这些，就再没有外交可言。

同样的，我们所以要讲外交史，决不是来诵读过去的许多外交史实，而是要从历来外交政策变迁的研究上，得着外交的智识。我们要问的，是：历来的外交政策有了些什么变迁？为什么要有这些变迁？这些变迁是否能很恰当的适合着当时国际情形上以及邦交关系上的变化？这些变迁表现着怎样的一种趋势：对于目前外交政策的决定具有何种意义？等等。离开了这些，也再没有外交史可言。

所以，所谓外交史，说正确些，应当说是外交政策史，或外交政策变迁史。

第二节　中国外交史上的变迁

历来中国的外交，有没有政策呢？难讲得很。过去中国外交上的变迁情形，可分四个时期来说。

第一个时期是“深闭固拒”。在以前，中国向来以“天朝”自尊，对于国外民族，都指为“夷狄之邦”，是要年年进贡，岁岁来朝的。这种自尊自大已成为中国人根深蒂固的心理。我们自诩为“文物之邦”。世界上所有的文明，在中国都早已有过。在我们心目中，只有中国人是“人”，那些东洋人西洋人，都只是些“东胡”，“西夷”，“南蛮”，“北狄”，不能称为“人”。“蛮”字从“虫”，“狄”字从“犬”，就是那时中国人不认他们为“人”的明证。因此，就死活不放外人入中国，怕的是要“蛮夷猾夏”。但是，外人资本主义的生产力，如蒸汽一般地要膨胀开去，不管你北有长城，南有天池，他是要破关而入。我们既深深固拒，不要外人进来，自然对他们的进来不做准备，他们又无孔不钻的偏要进来，进来时就东冲西突。于是我们措手不及，只好由人摆布了。这是满清中叶的外交情形。

第二个时期是“洋人有如天人”。经过几次惨败之后，觉得现在的洋人是厉害的，于是一反从前所为。变“鄙夷”为“膜拜”，一方面自己竭力效法西欧。起初以为洋人的厉害在枪炮，兵舰等，于是北洋练兵，汉阳开兵工厂，同时派严又陵等留学外国学习海军；但结果仍是失败。中日一战，把新练的海军被人打得落花流水。以后又以为洋人所长在科学，在法政，于是办学堂，重科学，变新法，立宪法；但忙了多少年，仍然还不能强似人家，办起“交外”来，还是处处吃亏。另一方面，一和外人交涉，好似老鼠遇见狸猫，惟有唯唯诺诺，奉命惟谨，不敢道半个“不”字。这是民国以前的情形。

第三个时期是“以毒攻毒”。后来，简直觉得自己是没有力量来抵制外人的了，只有利用外人在中国这块市场上相互间的冲突来应付他们之一法。于是有的是亲日制英，有的是亲英制日，有的是亲美制英日，这种利用外人去抵制外人的方法，就被认为最巧妙的外交方法。那知外国人并不是傻子，你想利用他，他也就利用你的利用他，结果，在中国外交上是更加纠纷，更形棘手；人家没有会被你利用到，我倒反被人家利用去了。这是北洋军阀时代的情形。我们要知道，利用人家的相互冲突来以毒攻毒，并不失为外交手段之一，但问题是在于你自己先要有点东西，有一种力量做个主体。然后才能利用人家。否则专靠人家，自己可以什么都没有，世间那有这种便宜事。引狼拒虎，结果自然只有把自己的卧榻，变成狼虎争食的战场。

第四个时期是“革命外交”。最后，知道外人是和他们鬼混不得的了，干脆是要向他们“革命”。外交而革命，将如何“革”法呢？关税要自主，租界要收回，法权要收回，不平等条约要废除，这自然是对的了。但外人狡猾得很，当我们提出这些口号来的时候，他们很客气的答应同意，但他们说，这办法好是好的，不过时机还早：你们自己的宪政还须经过若干年的训政时期才能实现，这不是同样的应当经过几年的准备时期才可实行吗（看费唐氏提交上海工部的报告书）？而且，他们还在此时间提出了些“最惠国待遇”，“杂居权”，“永租权”等等要求来。结果，外交的“命”，似乎仍未能“革”去。这是最近的情形。实在的，你要革人家的命，先要显点本领出来看看，否则拿什么东西去革呢？手无寸铁，走到人家面前去说：“我要你的头！”人家很可以慷而且慨的说：“你拿去好了！”那时，你所得到的，恐怕只有一个“没趣”吧。

这就是中国外交史的全部。在这里面，我们实在找不出什么东西可以叫做政策，政策不是空的主张以至于幻想。政策是要有具体的计划和切实周密布置的。

第三节　弱国是否有外交

所以，用第一节所述意义来讲中国外交史，真是无从说起。从中国和外国正式发生邦交以来，未曾有一件外交对中国是光荣的；不但讲不到发展人民利益，就是保持人民固有的生存权利都不能做到。中国所谓外交，每次都是在计议断送多少人民权利给外国。中国实在没有外交史，只有丧权辱国史，卖国殃民史。或者从对方面讲，只有帝国主义侵略中国史，压迫中国史。或者从另一方面讲，中国只有外交失败史。

中国外交上向来只有失败，其原因究竟何在？我们常听到的一个解释，就是“弱国无外交”。但这个解释是非常不正确的。为什么？

第一，中国在开始和他国发生外交关系时是赫然一个强国，不但不像现在的弱，而且在当时发生关系的诸国中，他也并不弱于那一国。所以，中国外交失败，至少在开始发生外交时！不能拿“弱国”来做解释，刚刚相反，现在中国所以这样弱，倒可以说是历来失败的外交有以致之；一看中国近百年史，就可以看见每经过一次外交中国就加弱一步。所以，就中国说:“弱国无外交”这句话，是倒因为果的说法；实情是因为无外交所以才弱国，不是因为弱国所以无外交。

第二，在古今中外的许多事实上，我们看到许多弱国确有很好的外交，而且这些弱国还确因有了好的外交得以转弱为强。例如大战后的土耳其，革命后的俄国，就是眼前的例子。土耳其在战后，本身已受宰割，法国大有得而甘心之势，适于此时国内发生革命，那真是浪打江心的一只破船，弱得可以了。而今日虽没有达到怎样的隆盛，但至少已不是一个弱国，所以致此，自然有种种关系，但当时外交得手，与俄复交，与法停战，决然是一个有力的原因。俄国在大革命后，长期的大战和内战，普遍的灾荒，把国内形势已弄得岌岌可危。再加以当时全世界帝国主义都合力向他进攻，那时的俄国，真好像风前残烛。然而，现在的苏联，已是全世界上别开生面的国土。这主要的当然是他五年计划建设成功，但倘若没有历次的适当外交，很难收转危为安之效。这样的例子，实是到处可以找到的。所以，“弱国无外交”这句话，只是当局推诿责任的谰言，没有什么意义的。

第三，弱国要办外交，比较起强国来当然要艰苦了许多。但只是艰苦些而已，决不是根本没有办法。而且正因为是弱国，需要依赖外交的地方才更大更多，这只有使当局更坚决的更勇敢的更有计划的去办外交。好像航船的，愈遇着惊涛险浪，愈要坚决有主张，愈要勇敢机警，看风转舵，来冲出波心。如果用“无办法了！”一语以抛却舵把，一任风吹浪打或向风浪叩头有声，那只是宣告船主的无能而已，宣告航行的破产而已！我们对他还希望什么呢？

所以，“弱国”二字，决不是，也决不应该是中国外交失败的解释。

显然的，中国的外交向来只有失败，是因为从来没有过外交政策。没有政策，是失败的惟一原因，惟一解释。试问那一次的外交当局能从事实做给我们看：他在发展那一部人民的利益，或者退一步说，在保全那一部人民的利益？他可以在就职时发表一个很漂亮的大政方针，那只是自己夸夸而已，或者是官样文章而已，与事实不发生丝毫关系的。事实上，我们只看见他在一任风吹浪打，只看见他在向风浪叩头有声。如此而要求外交的不失败，真是只有“天晓得”。

然而，我们知道，外交，只是当时政府整个政治系统中的一环。外交没有政策，决然不只是外交方面的单独现象，而是当整个政治系统没有确定政纲，因而没有坚强有力的政策表现，这就是说，外交失败，不能只归咎于当时外交无政策，应当进一步说，是因为当时整个政治系统都没有政策。因为外交政策，根本是要由整个政治系统来决定，断不能由外交这一部门来单独决定。正因为整个政治无政策，所以才有无政策的外交；不然的话，就决不会单让外交在那里因循误事。

第四节　研究中国外交史的方法和意义

如上所述，中国简直就没有外交史可讲，因为根本就没有外交政策存在过。但我们仍然要来讲中国外交史。怎么讲法呢？我们在前面说过，中国外交史是没有，卖国殃民史是有的，帝国主义侵略中国史，压迫中国史是有的。而且我们自己虽没有政策，而帝国主义侵略我们压迫我们，则着着实实有政策，而且有一贯的政策。我们不能从自己方面来研究外交政策的变迁，却很可以从帝国主义方面来研究它们侵略政策压迫政策的变迁，以及这变迁的根据，这变迁对于中国的影响。

这样的研究，在我们对中国外交的了解上，在目前中国外交政策的决定上，都是很有意义的。因为：

第一，以前中国外交所以没有政策，固然主要是由于整个政治根本无政策，但在另一方面，不去深究对方的政策以及为什么人家要有这样的政策，也是使得自己无从定出适当坚定的政策的原因之一。有句老话：“知己知彼，百战百胜。”在交战时是这样，在外交上也是这样。中国以前，对自己到底要做些什么，应当做些什么，是没有明白的意识到，对人家是在做些什么也莫明其妙，可说是“己”“彼”两不知，结果自然只有乱撞。现在来从历史上研究一下：侵略我们压迫我们的帝国主义外交政策是怎样产生的，性质怎样，其本身有无弱点，这当然是外交上很需要的智识，在自己外交政策的决定上很有帮助。

第二，史的研究，不只在要了解过去，主要的是从过去发展的趋势中看清目前已到了怎样的一个阶段。现在我们这样的研究，一方面是要看清楚帝国主义对我们侵略压迫是怎样在变迁，变到那里去，我们有什么对付的方法，另一方面是要看清楚中国在它们侵略压迫之下，已陷入怎样的地步，在国际上已处在怎样的一个位置，要怎样才能从这种地位解放出来。这样，我们就很可以从帝国主义侵略中国压迫中国的历史中研究出一个总的趋势来，在这总的趋势之下看出目前的国际新形势，自己的新环境，来决定我们对自己利益怎样就可保全以至向前发展的一个总的政策，而外交政策自然可以从此产生。

第三，帝国主义在各时期侵略中国压迫中国的政策，都是根据当时他们自己整个政策来的。我们既不能在自己方面从这部“不堪卒读”的又臭又长的失败史上来数“家丑”，希望从中会得到什么，不得已而思其次，很可以从对面来研究人家的外交——侵略，压迫——政策是如何的和其本国的整个政策联系着，以明白外交是什么一回事。这当然不是说我们要来向帝国主义学样，打算去侵略人家，压迫人家。东施效颦，徒增其丑。我们是要求个明白外交和内政是怎样的分不开。

我们怎样去研究，当然不是要把帝国主义侵略中国的事件一一都搜集无遗，只是要提出各时期中几件比较重大的史实加以研究，看其政策上的变迁是怎样的一个过程。

第五节 帝国主义的发展与中国的外交史

这样，我们的研究，是不能从中国方面研究中国外交史，而要从帝国主义侵略方面来研究中国外交史，而其侵略政策的发展又是和整个帝国主义政策联系着，那么，帝国主义的发展，在这里就有很重要的意义了。因此，了解帝国主义的一般性质是首要的一件事。

“帝国主义”这一个名词，是西美战争（西班牙和美利坚在一八九八年的战争）以后，渐渐在经济书籍及政治书籍上出现的。它是资本主义发展最后的一个阶段。资本主义的发展，很自然的可以分作三个主要时期，即：重商主义，国家主义和帝国主义。在第一时期的西欧资本主义国家，都争着要去获得商业市场和在其他大陆上的商业专利。他们的政策，是要使对外贸易出超，争取航海权和奖励国内的制造业。在第二时期，他们是致力于完成地理上的边疆，以获得经济上的统一。工业资产阶级，就在这时夺取了政权，消除封建制度及重商政策下限制工商业发展的种种障碍。这种工业政策，使生产力绝对的发展，使世界局面，起了迅速的根本的变迁，就是在所谓“热烈的民族要求”的旗帜之下不时引起战争，以分割世界市场，推销工业制造品。资本主义国家内部工业上这样的猛烈发展，必然要反映到国际关系上，激起一个新的时期；这就到了它的第三时期，也是最后时期的帝国主义时期。在这一时期中资本主义呈现出如下的几个和前一时期完全不同的特质：（一）由自由竞争贸易变为贸易独占；（二）由自由竞争的工业资本变为少数银行家独占的金融资本；（三）由货物输出变为资本输出；（四）由轻工业发展为重工业，即由消费品制造的竞争变为生产工具制造的竞争；（五）世界市场已分割完竣；（六）由惨淡经营生产企业的资本家，变为占有股票债券，坐享红利的寄生虫的资本家。

这样一个资本主义发展的过程，对于全世界的意义和影响是怎样呢？

第一是市场恐慌愈趋愈烈。首先是生产技术的改进，逐渐由铁的生产力代替血和肉的生产力，而把劳动者一批一批的排出生产，构成大队的失业军。他们顿时失却了购买力，缩小了国内的市场。其次是原先生产落后为先进国国外市场的国家，逐渐发展自己的生产，缩小了部分的国外市场。这一消费市场的失去，起初还可由新的机器市场即生产工具市场来补充，因为落后国发展生产，需要大量的机器。但这市场不久又失去，因为他们自己也能制造生产工具了。而其当时的消费者，现在已是生产的竞争者，市场更形缺乏：再加因他们生产技术改进，使那里大批劳动者失去购买力，市场更见缩小。于是大家努力搜寻新市场，直搜到天涯地角，互为争夺市场和霸占市场的战争。这就形成了帝国主义殖民地政策的基础。

第二是对投资区域的争夺。金融资本家，因为世界市场已经分割完竣，再也不能从经营生产上（不管是消费品生产或生产工具生产）获得红利，于是就改而做输出资本的企业。他们为要把握到投资必能获利的保障，就必须到政治上来统治接受投资的国家。于是资本主义的经济侵略，就一变而为帝国主义的政治侵略；经济侵略，对于被侵略者还有相当的促进经济发展的意义，政治侵略，对于被侵略者，钳制生产发展的作用，远过于促进生产发展的作用。

第三是军国主义的发展和世界大战危机的紧迫。金融资本家，为得要确保他们霸占市场和政治侵略的胜利，就叫他们国家尽量扩充军备。他们不但在预算上把军费扩大到百分之八十以上，而且把全国的学校，实验室，工厂等都变成制造军用品的附属物，把全国青年及广大群众都变成了后备军，而且把战斗器如坦克车，榴霰弹，机关枪，毒气炮，无畏舰，飞机，炸弹等等制造得在几分钟内可以把整个地球变成焦土，而且把军港，飞机场，炮台等筑遍于全世界的山腰海峡，原先是发展世界生产的工业资本家，到了脱离生产，专门坐在家里剪支票领现金的金融资本家的现在，已是天天在想毁灭世界的恶魔了！

第四是各种矛盾一齐发作，再无缓和余地。首先是各帝国主义间相互的矛盾，它们互争市场，互争投资区域，货物与资本只是加多，市场只是减缩，他们的矛盾就日益加剧。其次是资本家和劳动者的矛盾，他们的利害原来就根本相反，但到了此时，世界经济一天险恶一天，资本家亟亟于自己利益的争取，那里还顾劳动者的死活，前者往往把自己在各方面所遭受的损失全部往劳动者身上推去，它们现在的矛盾已达到不可调和的程度。其三是帝国主义和殖民地的矛盾，帝国主义资本家的剥削殖民地民众，比之对国内无产阶级还要残酷，世界经济一天天窘迫，对殖民地的剥削更一天天加紧，群众忍无可忍，只有起而反抗的一途。这些矛盾，在以前原也早就存在，不过现在因为资本和货物已把世间塞满，资本主义再无发展余地，所以这些矛盾就一齐爆发，无法挽救。

第五是政权独裁，外交绝对秘密。政权原是保障经济利益的工具，当然要跟着经济上的变化而变化；经济上既由自由竞争变成独占，政治上当然就要由民主而变成独裁——寡头的金融资本家独裁。因此，国际关系上的外交，完全以保全、巩固少数寡头资本家的地位和利益为目的，因而这些事情就应该保守秘密，让几个“显贵者流”去干。他们以为这些国际关系实在太深奥，太复杂了，平常人无法可以了解，只有他们是能够而且已经了解。所以当内阁或几个阁员和别国订立条约的时候，无论是秘密的或是公开的，他们总是照着后台老板——银行家多少已经确定了的政策去做。在这种事件上，政治家是不能自由参与的，除非是后台老板所能信托的人，政治家所欢喜的刚和后台老板所欢喜的相同。这样严守秘密的理由是很简单的，他们所干的勾当，其惟一的内容就是剥削落后民族和国内劳苦群众；“与虎谋皮”事必无成，自然不能向大众公开了。这种纵横捭阖的外交，更使上述各种矛盾加深加剧，而大战危机也就更为紧迫。

这种世界大战，就终于二十年前（一九一四年）爆发了第一次，而这次大战，也终于打出了一个新的局面，就是产生了一个面积占全世界六分之一，社会组织完全两样的苏联。从此世局一变，除了上述三种矛盾仍未消灭外，又添上一个最基本的矛盾，即苏联和帝国主义的矛盾，原有的三种矛盾更因这一新添的矛盾而加剧。此后国际形势更为紧张，大战危机更为迫促，而各国的一切内政外交，就都以这个矛盾为基础，为中心了。

以上是资本主义变迁的概略。这个变迁，在中国外交关系上有决定的影响。中国为半殖民地的国家，就是市场和投资地无条件的供给者，而国际帝国主义则为市场和投资地无条件的享有者。因此，中国一部外交史就是这个供给和享有的交涉史，中国外交上的变迁，就以国际资本主义的变迁为转移；国际资本主义向前发展一步，中国所受的侵略和压迫也就加紧一步；所有在中国发生的不平等条约问题，租界问题，关税问题，治外法权问题以及割让问题，外债问题，商埠问题，航权问题，筑路问题，采矿问题，一切一切，都应以国际资本主义的变迁来说明。

前面说过，我们研究中国外交史，不是来追寻那些陈旧的丑史，而是要来创造一部簇新的光荣史，“怎样才能从国际帝国主义的铁蹄底下解放出来？”就是我们当前的惟一的大问题。

第二章　国际资本主义前期中的中国外交

第一节　欧人来华

中国和外国有来往，远在明清以前。但以前的来往，只是外国一方面的，中国人始终是采一种不理的态度，一任外国人的自来自往。故虽有来往，实无外交可言。（至中国人到外国去的，为时更早，也更是一方面的。即外国人让我们去就多去几趟，不许去时就简直没法去。这种情形，到现在还是如此。所以在这方面更无外交可言，到现在还无外交可言。）但这种情形，却和以后的所谓外交很有关系，我们不可不先在这里约略说说。

外人到中国，在唐朝时代就有了。唐贞观中曾有景教徒阿罗本来过。不过这种来往，实际上并无多大意义。有意义的来往实开始于明朝弘治十年（西历一四九七年）。那时，印度航线已经发见，葡人华士哥德噶马（Vosco da Gama）绕好望角达印度，开中西国际交通之纪元。嗣后，葡人占领印度半岛的卧亚，东略马六甲，爪哇等南洋群岛。在中国方面，从三保太监郑和下西洋之后，经商南洋群岛的华人也日多一日。葡人既与华人相接触，遂益东进而至中国。至正德十年[1]（西历一五一六年），葡人拉斐尔伯斯德罗乘小艇至，为欧人揭着国旗的船舶开入中国的第一次。当时拉氏即要求与中国缔结通商条约，中国未允许。明年，复有葡船四只，马来船四只来广东，得地方官的许可，停舶于三灶岛。此后葡人到中国来的就渐渐多起来。明嘉靖十四年（一五三五年）有都指挥黄庆，受了葡人的贿赂，请于上司，把澳门开为葡人通商地，使每年纳二万金。嘉靖三十年[2]（一五五三年），葡人借口商船遭风，货物被水浸湿，要求给地曝晒，并求建筑房屋以便保存，海道副使汪柏

[1] 应为正德十一年。——编者注

[2] 应为嘉靖三十二年。——编者注

许之。葡人在澳门的居留地就更加扩大，葡人来华也更多。至嘉靖三十六年（一五五七年），葡人竟在澳门设官置吏，视澳门为殖民地，而华人也漠然听之，不以为异！此后葡人乃更进而侵占他地，至嘉靖末年，葡人在广东所占的居留地，已有上川，电白，澳门三处。泉州，宁波等地，亦多葡商出入。这些地方的葡人，因生活习惯多和中国人不合，常常要被驱逐，甚至虐待，他们在中国通商，始终未能如何得志。明万历元年（一五七三年），明廷命于澳门附近筑墙为界，不啻明认界外为葡人自治地，此实为欧人在中国占有租借地的开端；不过缴纳地租，和以后英，法，德，日，美等国的租借地稍稍不同罢了。

和葡萄牙竞争海上贸易的，最初为西班牙，其后为荷兰，最后为英吉利。西班牙人见葡人在中国得地通商，也于明隆庆四年（一五七〇年）至广东；于万历三、八两年（一五七五、一五八〇年）遣使带了国书礼物等来中国要求缔结商约，但都被葡人从中阻挠，未能成功。荷兰人于万历三十二年（一六〇四年）开商船至广州要求通商，也被葡人所阻，后十年（一六一四年）又来中国求通商，仍被葡人所阻，不得成功。至万历五十年[1]（一六二二年），荷人乃图武力入中国，攻澳门，结果战败，退据澎湖列岛，后二年（一六二四年）又从澎湖进据台湾，但始终未能达到与中国缔约通商的目的。英人则于明崇祯八年[2]（一六三七年）即以舰队至澳门求通商，但也被葡人所阻。当时英人威代尔乃率船四艘，由虎门进，武力强入广州，尽售其货而去，此为外人武力通商之始！

欧人侵略中国，一为通商，又其一则为传教，盖通商，其力只及于边境，而教徒则能深入内地以刺探各种实情，可为经济侵略的先导也。葡人既得澳门为通商地，传教徒就蜂拥而至。第一个到中国的传教徒，名利玛窦，意大利人，为耶稣会的旧教徒。这时刚在欧洲宗教改革之后，新教盛行于北欧，南欧；西，葡等国仍守旧教。利氏于万历九年[3]（一五八〇年）抵澳门，布教于广东之肇庆府。他传教的方法甚巧，学华语，

[1] 应为天启二年。——编者注

[2] 应为崇祯十年。——编者注

[3] 应为万历八年。——编者注

穿华服，甚至姓名也改从华俗，取名利西泰；更以其说附会于中国儒家之道，以迎合华人的心理，且以天文，算学，舆地，医药等学说结纳人心。因此，一时极得广东官吏的欢心，得建立天主教堂于韶州。其后又于万历二十九年（一六〇一年）夤缘入北京，以圣像及时表献神宗，同时，又以礼物献媚于在朝的几个要人，以天算等科学作传教的工具。当时的皇帝和大臣竟被他蛊惑得无可无不可，把他当做一个了不得的贵客，于是天主教大为兴盛。此后来的教徒就一队一队地跑来，比较著名的有王丰肃，龙华民，艾如略，庞迪我等。至明朝末年，中国人信奉天主教的已有数千。到了清代，清帝对于教徒更是优待，当时有教徒汤若望，南怀仁竟受册封，尊为长者，故其教更盛。至康熙时，教堂在广东的已有七所，在江南的已有百余所，这几省信教的共达十二万人，其余各省还不算。你说教徒的力量可怕不可怕？至康熙四十三年（一七〇四年），罗马教皇颁布教条，禁止教徒崇拜祖先，不得把“天”的名称用之于基督教以外的神，因而基督教就与中国礼教不相容，尤其是和中国的宗族关系相冲突，于是族中有信教的就发生了族中公产如何分配的问题。传教师庇护教民，竟恃其与在朝显贵有结纳，而要挟地方官吏，使为利于教民的判决。于是社会习俗，国家行政，处处都受了教徒的干涉。教徒的势焰可怕，至此始为中国人所觉察。清廷怒，禁止教徒传教，命西人传教徒一律退出澳门，改天主教堂为公所，严禁人民信教。欧人传教阴谋，至此受一打击。然他们是不会就此罢休的。所以，以后强订片面的不平等条约时，都列入准许传教的条文，因其作用原不小于通商也。

第二节　中英通商

中国受痛最深，束缚最甚的不平等条约，实始于鸦片战争后的中英《南京条约》。这条约的缔结，一方面固由于资本主义国家的侵略政策，另一方面也是那时中国当局不明时务的深闭固拒的态度所促成的，这，一看英国初来中国通商时的受尽波折就可知道。英人从威代尔用武力强入广州售其货物后，颇引起中国民族的反感，以后凡有英人来求通商，总是要用种种方法来阻遏。一六六四年（康熙三年）有英国商人来澳门，中国索取租金二千两，又派兵监视其商人，其船停留五个多月，卒不得要领而去。一六七四年（康熙十三年），英船再至澳门，也因中国故与为难，使它只得贬价售去织物十一匹而去。英商既不能在广东得志，乃到厦门，宁波等处来找机会。不料这几处的官吏对他们的需索更比广东厉害，仍不能成功。至一七九二年（乾隆五十七年），英政府乃正式派遣马甘尼为大使向中国政府要求缔约通商，于一七九三年至中国，中国把他当做来朝贡的，要他向皇帝行三跪九叩首礼，马甘尼不肯，后经多少曲折，始许其用谒见该国国王的最敬礼见清帝。他向清廷提出七条通商条约，清廷无论如何不肯答应。因那时政府全不懂得通商的利害关系，只晓得中国历古以来对于“夷狄”许其在边境互市，完全是一种嘉惠远人的恩典，所以死活不肯和英国立在平等地位上来缔结条约。一八一六年（嘉庆二十一年），英政府又派遣亚墨尔斯为大使向中国政府重申前请，清廷恶其烦扰，对他们态度更比对马甘尼还要不好，一定要他行拜跪礼，亚墨尔斯不肯，即斥其无礼，命其即刻退出国境。观此，英人所受困迫也算大的了。

英人初时所以能来远东通商，因当时有明朝遗臣郑经占据台湾厦门两处，颇乐于和外国人通商也。到郑氏为清所灭，这两处的通商事务就中止。后来东印度公司组成，英人既在远东确立商务根据地，乃进一步向中国图发展。至广东，地方官吏虽加以种种束缚，但总算能允许英人通商。英人在广东通商，初由东印度公司垄断，至一八三三年（道光十三年），英政府下令废止该公司的专业，设对华通商总监督，给以管辖商人全权，任那嚭为主务监督，盖资本主义日渐发展，商务就跟着日见重要也。但中国对商务绝不重视，始终把管理商务的看做通达商情的“大班”，不得和仕官为伍。故那嚭就任时，用平行致书两广总督，约他相见，总督嫌他无礼，拒绝不见，且不许他到广州。于是英人在广东的商务又受一次打击。

英国的正式商务，虽屡不得逞，然东印度公司所经营的鸦片输入则日见兴盛，中国用以付偿鸦片代价的银一年多一年。粤督感觉到这个鸦片流毒太厉害，加以严禁。英人见其主要商品顿受禁止，就出来力争：交涉办不妥，不惜出之以武力，盖通商为资本主义的生命所托，遏其通商，不啻绝其生命也。那蘼乃令军舰二艘，以保护商民为辞，溯江直入虎门，发炮五击，败退黄浦。一八三四年十月，那蘼因中暑死于澳门。英政府以大卫继其任，但粤督仍旧要他自认为大班。大卫没办法，只得向英政府辞职。鲁滨孙继之，依然没有办法。后来，他上书英政府，设法在珠江海口占一小岛为商务根据地，自谋发展，不必再和粤督交涉。英政府乃于一八三六年废通商总监督，派义律为领事，继续与粤督直接交涉，遵旧例，由行商转函粤督，说他只来约束英商，一切均遵中国成例做去。至此，粤督始许其入广州。英人所以委曲求全，实因资本主义发达，有必须向远东发展商业的迫切要求也。

由此说来，英人来华求通商，可说已受尽了挫折，结果虽是在广东通商，但不能称心遂意，十分明显。然他们只好忍耐一时，而其必然要找求各种机会来克服上述困难，也是十分明显的事。其后鸦片战争的爆发，实已早在那里伏下了线索，而《南京条约》的各种强迫性，也早已在那里有了它的基础。

第三节 《尼布楚条约》与《恰克图条约》

俄国与中国接壤，与中国发生关系很早，惟在外交上发生正式的关系，则自《尼布楚条约》始。《尼布楚条约》，为中国获得胜利的惟一条约，所以然之故，是那时俄国还未有资本主义的发展，完全是一个封建国家，其经营东方，不是来找寻市场，只是来侵占领土，他的侵略中国，没有资本主义国家那样的坚强性，也没有国民的迫切要求做他支柱。加之，他那时在军事上，技术和战斗力，都不见得比中国怎样优越，这些条件，就决定了中国与之交涉有获得胜利的可能。

俄皇在明万历年间即注意于西伯利亚的经营，崇祯时更进窥黑龙江。至清顺治初年，侵占黑龙江，乌苏里江，松花江诸地，自此以后，就屡与中国兵起冲突。康熙二十一年（一六八二年）清廷在黑龙江大修军备；二十四年，率大军进攻，大败俄军，二十五年爱珲将军萨布素困俄兵于阿勒巴金城，适俄国皇室有内乱：无力东顾，急欲与中国议和。定边界。清廷许之。

俄全权公使费约度罗于康熙二十六年（一六八七年）出发，中国大臣索额图以二十七年出发，二十八年八月，二使会于俄境尼布楚城，各带大军随从（俄使卫兵二千，中使卫兵一万），俄欲以黑龙江为国界，中国欲以贝加尔湖沿外兴安岭为国界。经两次会议，中国稍让步，以额尔古纳河与外兴安岭为国界，俄使初仍坚拒，后见中国兵力强盛，卒从中国之意，订《尼布楚条约》。

该约订于康熙二十八年（一六八九年）九月九日，其主要条文如下：

> 一、北自黑龙江支流格林必齐河，沿外兴安岭以至于海，岭南属中国，岭北属俄国；西以额尔古纳河为界，南属中领，北属俄领。
>
> 二、毁雅克萨城，俄国住民，尽携用物迁俄境。
>
> 三、两国猎户不得擅越国界；商人带有文票者，许其贸易不禁。

自是，中俄国界既明，东北边境之纷议遂定。两国相安无事者垂六十余年。康熙三十二年（一六九三年），由俄国请求，中国又与订《北京通商条约》，规定俄国商队三年至北京一次，每队限二百人，驻留八十日，贸易免税。

清廷开国之始，忙于征服内乱，不暇顾及边陲，外蒙迄未收入版图。是时俄与外蒙贸易关系甚盛，年获巨利，康熙三十九年（一七〇〇年）以后，清廷迭举大军北征，外蒙悉附，于是中俄之互市问题，边界问题又起。

自康熙五十八年（一七一九年）起，俄皇迭遣使臣来北京，请改商约，划定疆界。雍正五年(一七二七年)，两国大使会于布拉河上，订定《恰克图条约》(亦称《布拉条约》)。是约订：疆界自额尔古纳河至齐克达奇兰，以楚库河为界，往西，以博木沙毕鼐为界，乌特河地方为共有地；互市如《尼布楚条约》。此约维系中俄国交者殆百二十年。迄咸丰元年，而所定边境，则视《尼布楚条约》，中国失地数百里。

自《恰克图条约》签订后，中国商民运茶烟缎匹等往库伦恰克图贸易者日多，而北京贸易渐衰。乾隆二年（一七三七年）遂停止北京贸易。尽归恰克图，于是恰克图商务益盛，成为漠北繁富之区。其后，屡因细故，停止贸易，先后中国封闭恰克图市场者凡三次。乾隆五十七年（一七九二年），两国复增订市约，于恰克图，卖买城互换，称为《恰克图新约》。约语类中国诏敕，有“恰克图互市与中国初无利益，大皇帝普爱众生，不忍尔国小民困苦……是以允行”之语，意存自大以蛮夷视俄人，是时，俄女皇加塔邻二世，方有事于波兰，无东顾力，俄商又以闭关七年，损失不少，急欲回复市利，故此次交涉，俄人竟惟命是听。

第三章　资本主义侵入时的中国外交

第一节　引论

西洋各国资本主义一天天的发达，它们对于中国的侵略就一天天紧逼。资本主义生产特点，是在使用机器，机器具有大量生产的能力，使用机器必须用以生产社会上大多数人所需要的货物。然而，社会上大多数人没有富厚的购买力，决不能购买价格过高的物品；即机器生产只能生产物价低廉的货品，只能生产使资本家获取薄利的商品。资本家要从中取得多利，就不得不以“多卖”来补偿商品的“薄利”。于是国内市场就决不足以餍足资本家的雄心，必须力争取外国市场来填补。而且，资本主义一发达，即刻就形成和资本家对立的劳动者。这劳动者在资本家无情的剥削之下一天天贫穷起来，而失去原有的购买力，使国内市场缩小，使资本家更有争得国外市场的必要。不但如此，资本主义生产一定要走入资本集中的过程，这一方面扩大了社会上的生产力，一方面却减少了社会上的购买力（或者叫它消费力），而使争取国外市场的必要更加迫切。就在这种情形之下，中国乃成为西洋各国必得而甘心的一块市场。

在中国方面，当时还完全在自给自足的农业经济中，即完全以农业生产和手工业生产为其经济活动的全体。这样的社会，对于上述那样的资本主义的生产过程丝毫不能了解，即不能了解西洋各国的要求来中国开辟市场是一种不可抗御的力量，当然也就不能了解应当如何来迎受这一个新势力，才能不使自己的社会受到侵害。同时，农业经济的社会，排外性是异常强烈的，因为外来的力量一定要破坏它的自给自足的安闲生活。这不但在人民方面是如此，就是在政府方面也是如此。

在西洋各国资本主义还没有十分发达的时候，海外市场的找求，还不十分迫切，虽屡次要求和中国通商，屡次遭受了中国的拒绝，它们还可以在旁的地方得到它们的满足。到资本主义有了进一步的发展，中国的深闭固拒就不为它们所容许，最后的办法，势必至于诉诸武力。中英，中法，中日诸战争，就在这个意义中爆发了。

第二节　英人的侵入

一　鸦片战争与《南京条约》

英人既以屡次遣使求中国和他通商不能如愿，就改变方针，不惜专用违背人道的鸦片来向中国人诱惑，以打破中国坚固的“海禁”。最初运鸦片到中国来的是阿拉伯商人（时在唐朝贞元中），其次是葡商（明代中叶），最后是英商（明末）。英人夺到印度后，以中国年销鸦片甚多，就在印度大种鸦片，就近输入中国，每年吸收现银不少。清乾隆时，曾严令禁止。但一因奸商只知牟利，不管国人的死活——其实，凡是商人就永远是这样，无所谓奸不奸——常常用船到海上去替英商把鸦片偷进口，二因一般贪官污吏受了英商的巨贿，对鸦片的输入就阳禁阴护，鸦片的输入，竟在严禁之下逐年增加。至道光十六年（一八三六年），鸦片的输入已超过二万七千余箱，吸去现银达二千万两！这还是单就广东一省计算，此外如福建，浙江，山东，天津等处由鸦片吸去的现银，当然也不在少数。一年要漏出如许金钱，国内经济自然要发生巨大恐慌，而英国的力量，虽在商务上明遭拒绝，在鸦片上却已暗渡陈仓，深深地侵入了中国。

当时中国人，除奸商和贪官污吏外，都已感受到了鸦片在经济侵略上的刻毒，迫切要求禁止，尤其是那时是两广总督林则徐最是严厉，他于道光十七年在广东厉行禁烟，先侦查出入英商馆密卖鸦片的华商，捕之，杀于英商馆前示威，再令吏卒百人直袭商馆，迫英商交分所有鸦片。英商狡不交出，乃将其领事，教师，医师等尽行拘押，而且禁止供给商馆食物。英商没法，将所藏二万一千五百余箱鸦片交出，林则徐焚之于虎门。此后，鸦片之毒稍杀。

林则徐深知外商狡狯，不周密防范，外商仍要多方偷运鸦片进来。乃一面定出："凡洋人以鸦片入口者，分别首从，处斩绞"的专条，一面向各国商吏布告："凡商航入口者，皆须具结。如有夹带鸦片者，船货没官，人即正法。"葡，美商人接受了这个布告，独英人不肯接受，英领事甲必丹义律且要林则徐派委员至澳门会议（时英商及英领事都在澳门）。林知英人顽强，乃令沿海州县对英商封锁，一切日常用品都不准供给。英商既绝食物及一切用品，乃邀同英领聚居尖沙嘴（香港对岸）货船中计议，觉得进退不可，留则无以为生，退亦无路可走，因在本国资本主义发展的压迫之下，回去绝无生计可谋也。不得已，只好决心死战，一面将中国禁烟情形报告英国政府，请求派遣军舰来和中国宣战。

当英政府接到甲必丹义律要求派遣军舰救援的报告时，英国政府中以及国人中有许多不赞成，以为贩卖鸦片实是可耻的事情，这种商人是不应当帮助的。英国的国会中为了这件事，讨论了三日三夜。那时的维多利亚女皇，众议院中公正的议会，以及一般明白的所谓名士之流，都不赞成出兵和中国宣战。只有那时代表资本家的议员以及政府中代表资本家的阁员竭力主战。这样两方激烈论战了三日夜，议决时，赞成开战的只比较多九票，而英国就决意出兵了。从此看来，鸦片战争这件事，并不是像表面上所看到的那样，因为英国要卖鸦片给中国，中国人不许，所以激起战争，更不是全英国人民要对中国人宣战：即英国议员中亦几乎有半数不愿和中国开战；实在是，因为英国资本主义已极发达，出产物品日多，资本家须得在东方找到一个像中国这样大的市场，才有出路，而中国却紧紧闭关不纳，他们无可奈何，天天在想法要用武力来打开中国的门户，至此乃借端爆发的一个战争！

当时开到中国来的英国海陆军，共有一万五千人数，三十六只军舰，一百四十门大炮，由加至义律和伯麦二人统率，于道光二十年（一八四〇年）五月至澳门。初到时，先遣使广东议和，林则徐不理。那时林则徐在虎门一带，事前已把防御工事布置得坚固，英人看看没法，乃移兵至浙江之舟山，定海。那里是毫无准备，接连被英人攻下几个城市——定海，乍浦等。后知此地非要害，乃退去，移兵向渤海，进白河，直逼天津，清廷大震。英人乃向直督琦善提出和议六条——一，偿还货值；二，开广州，厦门，福州，定海，上海为商埠；三，两国国际用平等礼；四，赔偿军费；五，不得以密卖鸦片商累及无辜英商；六，尽裁洋商浮费。从这里，完全可以看出英人出兵，为的是要打开中国的门户，好发展他们的资本主义，并非简单地来替烟商出气。那时中国当局，如能看清了这一点，一方面允许英人来中国通商，一方面提出足以保障国民经济的适当条件，英人是有接受的可能的；就是同时提出根本禁绝鸦片贩卖的条件来，英人也有接受的可能。因为一方面英人自己也在反对烟商，认为耻辱，一方面那时中国人对鸦片的一股愤恨之气，也是英人觉得不可侵犯的；另一方面，当时各国商人都不愿中英开战，至妨碍他们的商务——就是英国自己的商人，也是这般意见。这在当时有许多事实可做证明的。

无奈那时的清廷，对这些情形是一点也不会懂得。一方面只在那里讲“面子”，和人家斗气，一方面只想在军事上去战胜人家以显“天朝”威赫；另一方面又不知从人民利益上定出堂堂正正的一定主张，一定办法，专门鬼鬼祟祟，阴谋取巧，遂把原来是很光荣的鸦片战争，弄到变成了一个胜也可耻败更可羞的战争！

当时的朝臣疆吏，慑于英军的猛锐，都抱怨林则徐轻举惹祸，再也不知从国威民利上去想办法，只求那如狼如虎的英军早早离开几辅。于是不对着英人的提议去和他谈判，乃一面罢斥林则徐以谢英人，令琦善为两广总督，一面告英领义律，天津非外国使臣碇泊之所，请返广东，和新督议和。英人见有议和希望，即撤兵回澳门。

琦善至广东，尽反则徐之所为，撤水师，散壮丁，废一切守备。英人见其易与，要求愈厉，除前索六款外，更要割让香港。琦善稍有难色，英人即率舰攻虎门，陷其炮台。时广东已毫无守备，琦善复胆小如鼠，反向英人提和议，偿烟值七百万，开放广州，割让香港，清廷方面呢？见英舰退出白河，又觉议和终究是失策了，及闻虎门被攻，更是虚火上升，即命皇侄奕山为靖逆将军，率大军四万驰广东，欲一举覆英军。

这样和战无常；而且和又和得卑怯可笑，战又战得暴躁无策，当然是非吃亏不可的了。和议既裂，英军大至，陷虎门，入珠江，逼广州，清兵四万，奔溃的奔溃，投降的投降，大将奕山也落荒逃走。英兵入广州，大肆淫掠，居民大愤，时道光二十一年四月也。初十日，广州三元里居民万余，树“平英团”旗帜，扑英军，陷其主将义律于重围，英军卒以此退出广州，时英国又新任大使扑鼎查来华，从印度调大批战舰至，于七月率军北上，占厦门，陷定海、镇海，下宁波，且大败清廷规复浙东之大军数万于宁波镇海等地。既又定进攻长江以扼南北交通之战略；于二十二年（一八四二年）五月全舰进发，占吴淞，陷上海。溯江而上，相继攻福山，江阴，圌山诸要塞，六月达镇江，破南门而入，一路所向无敌，直趋南京。于是长江沿岸诸省大震惊，清廷亦顿增危惧，道光帝且欲迁热河避乱，和议之机遂熟。

清廷以恐怖之余，命耆英，伊里布，牛舰三人为媾和全权大臣，会英大使扑鼎查于南京。七月十四日，在英舰订休战约；二十四日成立媾和条约，其主要者如下：

一、中国政府纳赔偿银二千一百万元于英国政府——内以一千二百万元偿军费，三百元偿债务，六百万偿所烧鸦片值，款分四年交清。又，英占长江一带地方，于第一年赔款交清后撤兵。惟舟山鼓浪屿二处，须候赔偿全清，五港开放之后，英始撤兵返还。

二、中国以香港全岛永远割让于英国。

三、中国政府将广州，福州，厦门，宁波，上海五处开为通商口岸，准英国派领事居住，并准英商带家属自由来往——英商货物进出口税，应秉公议定，以使按例交纳；照例完纳进口税后，准由中国商人贩运内地各处，所过税关不得加重课税。

四、以后两国往来文书用平等款式。

五、放还英国俘虏：凡战役中为英军服务之华人亦不为罪。

这就是所谓《南京条约》！赔偿军费，来往文书用平等礼，放还俘虏，这都没有什么。奇怪的是赔偿烟值，对于禁止贩买鸦片，反一字不提，不知鸦片战争这一个大战到底为什么？战役中英军服务之华人也不得治罪，将何以立国！至迫开商埠，协定轻税，割让土地，更是侵害国家主权，束缚国家自由，为不平等条约的开端，帝国主义者压迫中国的基石。

《南京条约》公布后，欧美各国，鼓舞欢腾，比利时，荷兰，普鲁士，西班牙，葡萄牙诸国，相率派领事或公使来广东：美利坚，法兰西二国，且派特命全权公使，求与我国缔修好通商条约。至道光二十六年，偿银全数交清，商埠除广州外，皆已开放。时两广总督耆英与香港总督佛郎西士达维斯会于虎门，请撤舟山鼓浪屿之屯兵，告粤民鸷悍恶外，广州开放之事，迄延期二年。港督以“舟山列岛永不割让与他国”为条件，耆英许之，于是先订舟山永不割让与他国之约，然后撤舟山鼓浪屿之屯兵。至此，鸦片战争算是有了结局！

二　二次开衅和天津、北京条约

《南京条约》上载五个通商口岸的开放，福州，厦门，宁波，上海四处，均毫无阻难的相继实现。惟广州人民排外甚力，开放不易。自三元里平英团痛击英军后，道光二十三年粤民又有因与英人格斗致焚英商馆事发生。历任港督虽屡次威逼广督实行开放广州，终因民众反对激烈，志不得逞。后港督文翰且自愿将“严禁英人入城”一语载入广东通商专约中。可见借民气为后盾实为外交惟一方略；而当时广东民气，也实有足为政府外交后盾者。惜当时政府未明政府办外交是在代表国民争利权，不能站在民众利益上来运用这种民气以办理外交，只想利用民气以出“天朝”戾，以维持统治者自己的声威，遂致一误再误，陷国利民福于万劫不回之绝境，而清之统治亦终以推翻，是可鉴矣！

咸丰二年（一八五二年），洪秀全起义，东南半壁尽皆响应。清廷忙于调兵筹饷，政令废弛，沿海诸省鸦片贸易之禁令已等虚设。奸商乘之，假英人势力恣谋巨利，而英人也正欲乘我内乱大大扩张其资本主义在华之发展，乃利用奸商，与以护照或国旗，使奸商得自由出入各港。于是华船入英船籍，揭英国旗，往来沿海诸埠者日多，为民众所深恶，是时港督宝林，性刚愎，懔积极侵略主义，日思找寻嫌隙，借逞雄心。至咸丰六年九月初十日，有中国船“亚罗号”者，揭英国旗，自厦门来广东；其中船员，英人二，华人十三。巡河水师，探系奸商托英籍以自护者，登艇拔其旗投甲板上，执华人十三，拘击入省。广东英领巴夏礼闻之，认为机会已到，亟欲借此和中国搆衅，乃急驰函广督，责擅捕华佣为不当，侮辱国旗尤非礼，要求送还所捕十三人，并具状谢罪。时广督为叶名琛，审悉“亚罗号”虽入英国船籍，然十日前已期满，遂以中国官吏捕中国海贼于中国船中，事属正当，与英国无干答之。巴夏礼诉于港督宝林，宝林命为严重交涉。名琛置不理，也不为战备。于是港督遣驻港英舰开入珠江，攻黄浦，毁虎门炮台，炮击广州，名琛逃，城遂陷。英军入城，复肆淫掠，焚总督署及官吏邸宅。会印度亦起抗英运动，须兵助镇压，英军乃退出广东。粤民愤英军之横暴，争起报复，乃不分黑白，举英，美，法各国之商馆洋房及十三家洋行悉数焚毁之。于是巴夏礼等知战衅又开，驰书本国政府，请增兵决战，退香港以待命。

英政府接开战报。首相巴马斯顿力主战，始用强力胁议会协赞军费，继用合纵之利说俄法美诸国请其帮助。俄美不为动，法皇拿破仑三世，时欲耀国威于海外以收本国人心，独允与英联盟出师。英以额尔金为全权大使，法以噶罗为全权大使，先后率海军抵香港。同盟军于咸丰七年基督诞生节致最后通牒与名琛，限四十八小时内献城出降，名琛置不答，亦不为备。巡抚，将军，司道等，相率就督署商战守，名琛不听，固请，大声曰："过十五日，必无事矣！"名琛之父好扶乩，名琛笃信之，军机进止皆取决于此，过十五日必无事云者，乩语也！同盟军不得覆，乃遣陆战队上陆，三面进击广州。广州既毫无战备，自不能支，交战一时半城遂陷。将军巡抚都统等皆被虏，名琛初逃匿，继亦著虏，送至印度加尔各答，卒死国外，悲矣。督抚将军既皆被虏，广东已陷于无政府，同盟军一方面括督署财货及藩库银二十万两，一方面复使英法二海军大佐当市政，放巡抚柏贵复其职，执行政令，自是，广东成为三国合治政体者凡三年！

同盟军一意欲乘胜迫中国改订约章，增开商埠；既占广州，既决议率舰北进，八年（一八五八年）二月英法舰共二十余艘，次第由上海驰平津，三月集白河口，四月突闯入大沽口，陷大沽炮台，直逼天津。清廷大恐，急命科尔沁王僧格林沁督驰赴天津，备敌深入，一面命大学士桂良、吏部尚书花沙纳为媾和全权大臣。英使持所拟新约五十六款，法使持所拟新约四十二款，要求照约划押，亦云蛮矣！桂、花据情入奏，庭读多愤激。然因战守均无备，不得已允之。五月十六日，桂、花两全权会英法两大使，无谈判照所拟条款签印。是即所谓《天津条约》也。其主要内容如下：

英国的《天津条约》：

一、两国得互派公使驻京都；

二、中国官须优视基督教徒，英人得入内地游历；

三、增开牛庄，登州，台湾，湖州，琼州五港及镇江，九江，汉口三埠为通商口岸；

四、在华英人不受中国法律制裁；

五、减轻英货入口税；

六、赔款四百万两；

法国的《天津条约》：

一、同英国；

二、增开琼州，潮州，台湾，淡水，登州，江宁六通商口岸；

三、得派领事住各通商口岸，商人得自由租地建房，并得派兵船泊内地，游弋各通商口岸；

四、中国官须厚待天主教徒，法人得往内地游历；

五、中国官吏不得过问法人犯法事件；

六、法货依最惠国待遇纳入口税；

七、赔款二百万两。

这《天津条约》，实比《南京条约》为更进一步，因所订条款更为露骨也。其最显著者为领事裁判权，关税协定，最惠国条款，和内河开放等款，其最毒辣者为优视教徒，商人得自由租地建房及外人得往内地游历等款；条约之不平等，至此实无以复加矣！

约既定，桂、花两全权复和两江总督何桂清同赴上海。会英法代表订通商约章十条。实即所谓协定税则也。其重要内容为：一，进出货物不能免税者均纳值百抽五正税；二，洋货运销内地一律纳值百抽二点五子税；三，鸦片进口每百斤纳税三十两。这真是荒天下之大唐！税则而由协定，其为害于国民经济之烈不用说了，定税则不分货物品类（如日用品，普通品，奢侈品绝不能同一税率）为世界所绝无，也不用说了，就连鸦片也索性当做正式进口货，岂不太怪！此约虽出于被迫，抑何当事者之无常识无血性一至于此！

《天津条约》是满清政府实在不愿实行的。因其末项有“本约调印后，以一年为期，经两国皇帝批准。在北京交换”之规定，而当时又以为洋人的如此跋扈，皆由于武备之不足，于是同盟军退出白河后即急于白河两岸筑堡垒，建炮台，河中置坚固三栅横断河道，以为防敌人入寇之计，不知《天津条约》的失败，和《南京条约》一样，主要原因是中国政府不明外人真相。不知利用各国商人急欲来华通商之心理，不懂得何者可以力争何者不宜顽抗，不知道在民众利益上来领导民众做反资本主义侵略的斗争，只一味的深闭固拒，认外人入关为“蛮夷猾夏”。经过了《南京条约》,《天津条约》两次大败，尚不能深自警惕，反简单地以为是“武备不充”：以为武力就是一切，这那不得“授人以柄”，失败到底呢！

咸丰九年二月，英以普鲁斯（Bruce）为公使，法以布尔布隆（Bourboulon）为公使，至中国换约。英政府训普鲁斯曰:“中国政府原忌外国公使至北京;如遇任何妨碍,须不顾一切,完全达到北京换约目的。”同时电训东洋海军舰队长阿布以军舰伴普鲁斯至白河。英法二国公使抵白河,阿布坚欲大沽守将撤除白河武备,放公使进口。直督请其由北塘登岸,普鲁斯不肯,阿布且指挥舰队攻炮台,破三栅。不料攻至第二栅后,两岸炮声齐发弹如雨下,联军将卒被击,英舰队长伤足,法舰队长亦负伤,上陆兵士多没于陷阱,共死亡四百五十左右,炮舰沉没四艘,得美舰队之应援始能出险。

联军白河失败之报达英法两国,舆论激昂,多谓非批准条约后英法兵实无航行白河之权,普鲁斯轻率用武,至被击败,实咎由自取,科以应得之罪。可见用武力以达其经济侵略之目的,并非外国人民所赞同,只是政府中一二资产阶级的代表借着国家的力量来逞资本家的私欲。中国炮击白河联军,和以前的烧鸦片,缉拿“亚罗号”船夫,是一样地不但没有做错,而且是极光荣的举动。当时外交当局,如能一方面认明曲直,把英法政府恃强逞蛮罪状公布于中外人民之前以激起他们的反对,一方面宣布愿站在双方人民利益上许外人至中国通商，则中国外交，必能很快的有个转机，乃满清政府上下昏蒙，见白河偶胜，即欣喜相告，以为武功果足夸耀，从此外交不足言矣！

“白河事变”后，英法两政府，更增兵调将；英以额尔金（Elgin）为全权公使，克灵顿（Crant）为海陆两军总督，率兵一万八千东来，法以噶罗（Gros）为全权公使，蒙他板（Montaubon）为海陆两军总督，率兵七千二百东来。一时空气紧张，中外商人均惊惶相告，雅不愿战祸重开致碍商务，而双方政府不顾也。联军达上海，首探舟山列岛虚实，至定海湾，见毫无兵备，心乃大定，急回上海整战备，向渤海进发，惩前败，不由大沽进军，派士官侦探北塘防御，至则河口堡垒无一守兵，联军遂由此全部上陆。清廷既欲以武力胜敌人，而警备者乃仅大沽一口。其他沿海各要塞竟如此门户洞开，一若外人袭我只能由大沽一口者然，何复昏愦乃尔！

联军既上陆，先攻陷塘沽，继又取大沽北岸南岸各炮台。壁垒已撤，白河成坦途，联军军舰进航，毫不遇抗，径抵天津，英军据左岸，法军据右岸，城上遍翻英法国旗，于是清廷和使沓至，惟命是听。迨既缔媾和约——如此订约，当然只有一步不如一步，——又觉过于难受，复欲以兵力雪此耻。借兵雪耻，亦未始不可，惟须有计划与准备耳。当时所恃者为僧格林沁尚拥三万大兵于张家湾，乃欲用以袭联军。一战于张家湾，再战于八里桥。先后均大败。

两战皆北，联军愈进逼北京，清廷大震，咸丰迁避热河，留恭亲王当和局，时京城已严闭，恭亲王乃住圆明园进行和议。我欲先成和议再还俘虏，彼则坚持先还俘虏再谈和议，因此一梗，联军复分路攻北京；于咸丰十年（一八六〇年）八月二十二日，法军先入圆明园，二十三日英军继至，乃将园内历代帝皇所藏之珍贵宝器，两军平分为战利品。照陆战法规，国有财产，不供战争用者，不得没收破坏，今联军竟如此掠夺暴行，实自显其野蛮耳！联军入圆明园时，恭亲王等都各自私匿！竟已无一人思以身肩巨难者，可慨也！二十九日联军复逼北京城，狂歌进入，城上遍翻英法国旗占领之。但以中国方面无人当和议，联军又以本年寒气最早，时已北风凛冽，势难久持，额尔金乃命放火焚圆明园，以泄其愤。圆明园为清室历代帝皇避署之所，宫殿壮丽宏大，所费累代民力非少，今竟于外人愤火中变为焦土一片，可怜！

时双方已陷僵局，俄国公使伊格那提业甫（Ignatiev）见不是事，出任调停，先向英法二使探和旨，然后力劝恭亲王出任和局。时恭亲王年二十四，惧洋人与以不测，不敢出，俄使誓以身保，始当和局。九月初七日，和议就绪，英法以僧格林沁等为渝盟者须先革职，又请监毙俘虏之遗族补助金五千万两，悉依其要求。九月十一日《中英条约》，十二日《中法条约》，相次签押。其约如下：

《北京条约》中英的：

一、《天津条约》改订实行；

二、增开天津为通商口岸；

三、中国不得禁阻华人应英人雇佣往外洋作工；

四、割九龙为英领土；

五、赔款增为八百万两，总数还清后英国始撤分屯中国各地之兵。

中法的：

一，二，三，六，四条同英国的一，二，三，五，四条。

四、法教师得在内地自由买地造屋；

五、《天津条约》，通商船满百五十吨以上者，每吨课钞银五钱，兹改为每吨课钞银四钱。

九月二十四日，此《北京条约》经热河行在批准，以敕书公布北京街市，又饬各省督抚按照办理，英法两公使始率联军次第退出北京。

以上三个条约——南京，天津，北京，都是一次苛刻一次。考其启衅之由，都是曲在彼而直在我；且在国际方面，民众方面，中国都占在优胜地位——而终于遭惨败，蒙奇耻，完全由于当局之无常识，不知国利民福为何物，而只自知苟保禄位也！

三　“玛加理事件”与《芝罘条约》

英国自和中国订立《北京条约》后，就在中国内地大扩张其商务，贸易额逐年增加。英帝国主义犹以为未足，更欲从缅甸至中国内地开一陆上通商路。同治十二年，印度政府，欲派遣探测队，于云南印度测量商路。英公使向中国交涉，要求认可。这事，中国很可以严拒。但清廷暗弱，卒因公使之固请，即贸然许之。

玛加理者，英公使馆中一书记官也，以其精通中国言语，熟达中国事情，派其为探测队随员。光绪元年正月，探测队长布罗，率探测队印度人十五名，缅甸兵士百五十名，与玛加理从缅甸起程。至云南边境，即闻土民风起，将要袭探测队于途之传说。布罗等不敢进，留滞缅甸边上。玛加理是年由上海出发，经汉口，湖南，贵州，云南，各内省远达缅甸，途中未遇着困难危险，因力言现传风说不足信，主张前进。布罗等仍戒惧，玛加理遂请先行。至云南腾越，不见异状，遣使告布罗速进。布罗率队趋进。至腾越，不闻玛加理声息；翌朝，即被土民大众来攻，且接玛加理已被杀之警报。布罗等且战且退，以武器精良，得安全退于缅甸八莫。土民遂亦不越境追击。盖腾越土民闻英人侵入边境，甚为嫌恶，集众一团为防御，擒玛加理及从人数名，悉杀之。更集众于腾越附近，候探测队深入时将一举击杀之，以绝英人之侵入内地也。

玛加理既被杀，英公使乃向清廷大起交涉，要求赔偿，严办地方官吏。交涉经年，无结果；清捕缚土人魁首十余名处死刑，处地方官数名革职留任，以谢英人，英公使犹不当意。彼以绝交相要挟，清廷置不理。英公使老羞成怒，退出北京，往芝罘，命英国东洋舰队进逼直隶湾。清廷大惧，急派李鸿章为全权委员与议和，指天津为谈判地。英公使不听，坚持须在芝罘会议，李鸿章即赴芝罘，与订条约如下，时光绪二年（一八七六年）七月二十六日也。

《芝罘条约》：

一、赔银二十万两为被杀者家属恤金；

二、派大使往英国谢罪，并将谢罪赔款之告示张贴各省两年；

三、云南通商事宜，由英国特派员与云南巡抚派员商订；

四、开宜昌，芜湖，温州，北海，重庆等

为通商口岸，大通，安庆（安徽），武穴，陆溪口，沙市（湖北）等地准商轮停泊，由民船起卸货物；

五、各口岸审判案件，视被告者为何国人即依何国官吏审判，按本国法律判罪。

此外且以附约规定中国政府许英人进西藏探测一事。批准之后，再派礼部侍郎郭嵩焘为英国谢罪大使。自是，英国在中国的商务更其扩张，英帝国主义对中国的压迫更加重。各国援最惠条款，一体均沾，而中国就成为国际帝国主义互相争逐的公共市场了！

外人派队往内地探测，可以根本拒绝，乃竟因人之固请而即许之，已怯弱万分。既许之矣，即当明定保护该探测之责究应谁属，而亦不闻不问，一若事不关己者然，其糊涂又何如，迨已出事，又不敏捷处之，因循推宕，终于吃亏更甚，事事被迫，而后为之，若之何不败！

四　英吞缅甸与《中英协约》

缅甸自元以来即为中国的一个属国，在印度支那半岛中，位居伊洛瓦底江流域，东接云南，西接印度。全域分上缅甸下缅甸二区，北部为上缅甸，概属山地，南部为下缅甸，平原宽广，物产甚丰。英帝国主义自占领印度后，即对缅甸觊觎：在乾隆四十九年，曾遣使至缅甸国都，想和政府有所协商，为那时的国王所拒；至道光二年，遂借口缅甸军队侵入英领印度，而决计对缅甸用兵。

英兵进攻缅甸前后共三次。第一次在道光四年至道光六年，原因如下述，是缅甸国王遣军征服西北诸小国，侵入了英领印度，以国事不治，军政不修的缅甸，当凶于虎狠于狼的英帝国主义，自然只有兵败将亡，结果是偿金割地。而且愚人的失败是没有代价的；不知因失败而警惕，不会从失败中找教训，只是多一次失败，多加一分昏聩。至道光二十五年，国事愈混乱，因仰光地方官虐待英商及侮辱英使之故，又招英帝国主义的第二次进攻。这次进攻是在咸丰元年，在缅甸方面的结果，一样的是丧师割地。这次所割的是下缅甸全部，自此以后，英政府即以仰光为英领缅甸之首府。

是时，法帝国主义的势力，已由安南而侵入了印度支那半岛；两雄角逐于一地，更促进了该地的灭亡，法见英占领了南缅甸，就向缅甸东部积极侵略；英见法要来和他争此禁脔；并合缅甸之心更急。英帝国主义遂于光绪十一年，借着缅甸王和孟买缅甸商业社会有纠纷这一个小小嫌隙而大兴吞灭缅甸之师了。这是第三次的进攻，在光绪十一年（一八八五年）十月，英国用兵共四旅团，一联队；于两周内就陷炮台，破要塞，击清屯兵数千，降兵数万，终且尽收缅兵战器，逐缅王于国外，未曾经过一次血战，即获缅甸全土，缅甸统治者的无能，固是世间罕有，而缅甸人民的卑怯抑何至于此极耶！

英之并吞缅甸，和其对中国的侵略是极关重要的。缅甸是中国的一个属国，并吞缅甸就含有削弱中国的意义，这一层是不用说的了。他在中国，自从缔结了南京，北京，芝罘等条约以后，侵略的“图样”是已经“打”好了，余的工作，只是以后的逐步实施。要使这个实施更为利便，自然有在就近得到一块根据地的必要。那时他的目光很注意在川藏云贵等内地——至今仍是很注意，不过以后又觉得先占定了南中国的势力更为重要——；这看了“玛加理事件”就可明白。所以，他觉得在中国虽已有了一个香港，还着实不够，缅甸的并吞是异常必要的。因之，英之并吞缅甸，其意义绝不只获得一块物产丰饶的领土，而是“项庄舞剑，其意常在沛公”也！

中国在屡败之余，对英国已是畏之如虎，说中国对英之并吞一个中国属国的缅甸，为什么毫无反抗，完全是腐儒之见；而且当时中国正忙于中法战争，事实上没有余闲顾到这种比较“辽远”的问题；而且英之吞缅，为时不出两周，大摇大摆的中国，办事是一向不能这样敏捷的。我们现在来叙述英国并吞缅甸的史实，并不是要把它也算做中国外交失败的一例。意义是在说明因此而起的中英中法诸协约，是显出中国办外交的人太可怜可耻！

英国自并缅甸，遂与中国接壤，乃进而与中国商订协约。清政府对此问题除惟命是听外无他办法。光绪二十年（一八九四年）六月，两国全权会于北京。

《中英协约》如下：

一、英国仍承认缅甸照常例十年遣使进贡

中国一次，但其使节限于缅甸种族（骗小孩）；

二、中国承认英国对于缅甸有最高主权；

三、滇缅边界，由两国派员会同勘定，边境通商事宜另订专约协定；

四、（从略）

上约四条，第三条实在是主要的，第二条只是一种形式，第一条更只是第三条的陪衬。第三条划境通商之事，迟数年未履行，至光绪十七年，英国乃纵兵在云南腾越附近与居民大冲突，以威胁清政府，光绪二十年正月，乃命驻英公使薛福成，与英政府缔滇缅边界及通商条约二十四款于伦敦，其主要者如下：

甲 关于边界者

一、自尖高山起至湄公河岸为两国境界；

二、永昌，腾越边界外隙地归于英国，木邦，科干，及从前中缅共属即湄公河左岸之孟连，江洪二地归于中国，但此二地，如不先与英国议定，不得让与他国；

三、境界线十英里之内，两国皆不得建设炮台营寨。

乙　关于通商者

一、中国于缅甸之仰光，英国于云南之蛮允，各设领事馆；

二、两国之交通，暂定蛮允盏西之两路；

三、英国承认中国人在伊洛瓦底江自由航行；

四、中国对于缅甸输入之英货或缅甸货，照海关税则减十分之三征收进口税，对于中国货输出缅甸者，照海关税则减十分之四征收出口税。

这个条约的缔结，意义是很明显的，即英帝国主义一欲扩张权利于中国西南部，一欲对峙法帝国主义在中国南部各省之侵略，最毒最险的是以孟连，江洪二地与中国而注以“不先与英国议定不得让与他国”一语。盖湄公河左岸领土是以前缅王已经割让与法之地，英以此二地与中国，避己与法生冲突，且中国并不能依约保守，又可借以勒索别项利益也！

法帝国主义见缅甸主权全归英有，即孟连，江洪二地亦且被英夺去送人情，自是又气又恨；对英是没有办法的，自然只好向中国转念头了。驻北京法公使哲拉尔与清政府严加交涉，要求也缔结关于境界与通商之条约。清政府不能拒，于光绪二十一年（一八九五年）五月，与法公使订：

《中法协约》如下：

甲　关于境界者

一、法国领土由红江扩张至湄公河上流东岸之地，江洪河畔确认为法国领土。

乙　关于通商者

一、《北京条约》，中国允开龙州，蒙自，蛮耗三处为国境通商口岸，自后以河口代蛮耗，而加开思茅一处；

二、中国将来开滇桂粤三省矿山时，矿师人员等须聘用法人；

三、越南铁道得接至中国境内；

四、广东边界至越南芒街相对之东兴街，法国派领事驻扎以任边界任务。

这个条约确是法帝国主义大扩张领土于中国，增加通商利益是不用讲的，然于此地最有意义的是:《中英协约》中有“江洪等地非英国认可不得让与他国”之规定，今《中法协约》中又竟有“江洪河畔确认为法国领土”一语，这正落了英帝国主义狡猾的外交圈套，不只是清政府之弱，委实是清政府之昏！

英帝国主义看见了这个协约，得计得了不得，江洪地属那个，与他是无关丝毫，得计是在又可挟此来向中国勒索！英政府乃先与法国协商，订一个英法协约，把两国领地边界及境地裁判权与暹逻独立之事通通规定好，对于中国川滇两省之一切权利，两国如何共同享受如何互助进行也规定好了，然后再来向清廷责诘为何违背江洪不让他国之约，要求特种权利，更正前约，以为赔偿。清廷瞠目无以对，又只好于光绪二十三年（一八九七年）正月，订——

《中英新协约》如下：

甲　关于境界者

一、中国把江洪界内之地让与法国，英国不再追问，惟现在仍归中国所有，湄公河左右两岸江洪土地及孟连等处，自后不先与英议定，不得将全地片土让与他国。

乙　关于通商者

一、前约定于蛮允设英国领事馆，现改在腾越或顺宁，另外再加上一个思茅；

二、将来中国于云南筑铁路时，须和英国之缅甸铁道相接；

三、前约是两国交通，限于蛮允盏西路，自后如发现其他便于通商路仍一律开放；

四、广西之梧州，广东之三水，城江，根墟，开为通商口岸，英国派领事驻扎；

五、沿香港，广州，三水，梧州间水路之江门，甘竹滩，肇庆，德庆四处开为碇泊场，按照长江碇泊场办理。

这里要特别指出的一点，是乙项第二款，已开始用条约来钳制我们的筑路了。盖占夺市场和攫取交通机关是不能分离的。因市场以聚散货物为要义，交通是聚散货物的工具，没有交通，市场就失去作用。故历来条约，都以开辟商埠与占有航线为两个中心。至此，英人在中国所要的市场已星罗棋布于各地，航线也通于内河，乃开始注意到内地的铁路上来了。

英人对中国的初期侵略，以这条约来告一段落。这次交涉的失败，不在于丧失缅甸，失了缅甸还要让英人经济势力直入云桂诸省的内地，所出卖的民族利益，乃清廷莫可饶许的罪恶也！

第三节　法人的侵入

一　法国侵略安南的三个时期（乾隆五十二年至光绪九年）

第一时期，安南国，古交趾地，北接云南广西，自秦以降，即隶属中国版图。以富良江，湄公河两大流域分为上下二部，地多平原，物产丰盛，尤以米著名。十七世纪初叶，法人即垂涎其地，屡派宣教师测量队入境谋侵略。初为国人所拒，无所得。后因两阮姓分据上下交趾，法人利用之。出兵助下交趾，结法安同盟（乾隆五十二年，西历一七八七年），开法侵安南之始。下交趾既因法助兼并上交趾，法人欲其履行同盟约，即割与化安岛，租借康道尔群岛，不之应，安南人知法人用意叵测，驱逐其宣教师。法人见其阴谋不得逞，乃改用武力；侦知西班牙教师亦有被杀者，说西班牙，结法西联军，伐安南。联军以一八五九年即咸丰八年[1]攻广南，翌年侵入下交趾，据西贡，又二年（同治元年），尽夺下交趾各要地，安南政府屈于武力，与法西结《西贡条约》。法人由此，将下交趾全行侵占。

第二时期，法人之经营安南，与英人之经营缅甸，用意正同，即不仅在侵占安南本地，而在借此得一深入中国内地之门户也。其侵占上交趾，初以为湄公河通中国内地，必可为侵入中国的利益。测量结果，湄公河不

[1] 应为咸丰九年。——编者注

适航行，无交通用，大失望。知上交趾富良江通云南，利航行，遂必欲占得北安南（即上交趾）而甘心。法人这次的谋占北安南，手段更为恶毒。在用武力威压不易成功以后乃改用欺骗，先撤退驻兵，返还占领地，市恩于安南政府，然后与缔结《法安和亲约》二十条于西贡（同治十三年）。在字面上只是法人是在帮安南的忙，实际是把安南军事上，外交上以及一切内政上的政权通通交给了法国，而完全成为法国的保护国。

《法安和亲约》共二十条，其重要者如下：

一、法兰西以王礼待遇安南国王，且承认安南国为独立国。

二、安南有内患外寇需援助时，法国不问难易，不问赔偿，尽力与以帮助。

三、法国赠呈军舰五艘炮百尊，扇底铳千尊与安南王。

四、安南需海陆军教练及其他工匠，或各种学校用员之时，法国政府不问人员多寡，必遴选应聘，不敢辞谢。又或需军舰军器，及其他军需时，法国政府必应其供给。

五、一八六二年（同治元年）《西贡条约》之赔款残额悉减免之。

六、自后安南之外交事务悉由法国监督。

七、下交趾六州之地悉割让于法国。

八、安南政府开河内，东奈，宁海三处为通商口岸，且沿红江至中国国境蒙自县之河道，许通航。

九、法国于各开港地，得置领事及特派员，并以置百名以下之守备兵。

十、在安南之法人与法人，法人与他外国人，法人与安南土人，他外国人与安南土人之争讼及犯罪，均由法国领事审判之。

第三时期，自此以后，法人遂亟亟于各要地设兵备，派队往各地查矿脉，测河道，积极从事于财源，事权等等的占据，安南人见之，排法热度顿高。有黑旗党者，据劳开府，虽屡困于法军，而嫉恨法人者多归之，数达二十五万，势力并茂，法人在富良江之航运业已在受其阻遏。至此，法人又决计对安南用兵。光绪九年（一八八三年）春，法兵与黑旗党正式宣战，大败，法将黎威尔死之。法政府派海军二千赴援，八月又被黑旗兵击于山西，海防广安二要地亦被夺回。惟时，安南政府无能太甚，因京都顺化府方面迭遭失败，卒与法人订媾和新约二十八条于顺化，称《顺化条约》，明白规定安南于法国保护国，一切政权均归法人掌握，时光绪九年八月二十三日也。自此，安南实等于灭亡。

附《法安媾和新约》提要：

一、安南政府自承认为法兰西之保护国。虽与中国交涉亦必由法国介绍。

二、割平顺府永合于法领交趾。

三、法国于安南诸要地皆得置军队，于红江沿岸得置营哨，于顺化江口筑港筑堡，皆随法国之意。

四、法国于顺化府置等高理事官，统理外交事务，有独自谒见安南王之权利，于河内海防及各大小都府皆置理事官。

五、安南之国际外交事务与一切关税事务，及土人以外之民事刑事司法事务均归法国理事官全权处理。

六、安南国各市府秘密地之警察与税务，及全国之各府州大小官吏，均受法国理事官之监督，其官吏有对法国谋不轨者由理事官之请求革职。

七、南派远東京之军队全数召回。

八、归仁，广南，奇修安三港开为万国通商口岸。

九、自河内至西贡，由两国出费，修通行大路，架设电线。

二　中法战争——中法和约（光绪二年至光绪十一年）

安南为中国二千年来的属国，当法国驻京公使将《西贡条约》通告中国时（光绪二年即西历一八七六年），清廷出而抗争，法国直置不理。至《顺化条约》成立，清廷大怒，决用武力对付法国，然无一贯主张，又无中心政策，忽而议和，忽而备战，议和时既无和议原则，备战时也是备而不战，或战或和全不当自己的政策来决定，只看着人家的颜色而因循取巧，结果是战亦败，和亦败。

清廷之准备对法宣战是光绪九年，因是时庭议不能一致，越边战备就只有布防，毫无战略上之决定，因循至十年（一八八四年），越边守兵共约五万四千，卒因一万六千法兵之进攻，即不战而溃，尽失富良江下流诸要地。经此挫折，清廷转主和议，然法国始终欲以兵力获稳固之权利，故虽和议，仍百端开难启衅，终因谅山冲突议和不成。

中法战争一役，共海陆二大战，陆战在安南境谅山，海战在台湾海峡。时台北海军颇整饬，军心亦甚愤激，人人皆决心死战。法军袭基隆港时，曾大败之，其后，数万兵士屡次要求正式作战，当局均不之许，遂使全部海军陷入坐以待人来攻之地位，卒遭惨败。谅山方面之我国军队，初亦屡次败北，后由冯子材率军奋战，连战皆捷，追奔逐北，以前所失诸地尽皆夺回，安南官民复各地起而响应，长趋直下，大有破竹之势。但此间正节节胜利，而停战撤兵之“圣旨”忽又传到“西线”矣。

在此情形下缔结和约，胜利应归中国，但一观和约内容，则适得其反。于此可证清廷外交之着着失败，非由武力之不充，实皆政府之昏聩也。《中法媾和条约》订于光绪十一年（一八八五年）四月，共十款。条约上不但中国完全忘了此次因何开战而承认法国与安南所订（不管已订未订）之一切条约，而且还无端奉送许多利权给法国，如开商埠等，今摘其主要条文于下：

一、中国承认法国与安南所订一切条约，无论已订或将来所订，均听其办理。

二、中国择劳开以上谅山以北二处开为通商口岸。

三、中国将来筑造铁道时可雇用法国工程师。

四、两国另派员勘定中法两国边境，协定通商细则。

第四节　日本的侵入

一　琉球的合并

日本的合并琉球，手段极其敏捷，方法极其险恶，可说只用一句话。

琉球共有群岛五十余，土沃物丰，产米尤富，自明初臣服中国，始终恭顺异常。其后，日本用强力压琉球，虏其王，强其隶属日本。自后，琉球虽无力摆脱日本之侵扰，对中国则更加钦服。鸦片战争后，欧美资本主义群向东洋发展势力，美法荷三国次第和琉球结通商条约，日本维新，竭力步趋资本主义之政策，日谋并吞琉球之计。同治十年（一八七一年），有琉球人六十六名，遭飓风，漂落台湾，被台湾生番掠杀大半，仅余十三人，当地地方官护送归国，日本闻知其事，认为并吞琉球的良好机会，乃先强收琉球为藩属，同时照会各国公使，将琉球与美法荷所缔商约，改为日政府之条约，并决定出兵台湾讨生番。然后于同治十二年（一八七三年），派大使赴中国，貌为修好，乘机有意无意向总理衙门提及琉球民被害事，问生番是否属中国。时中国不明其用意之阴险，坦然以生番非政令所能及答之。日人得此语，遂用为并琉球侵台湾之根据。同治十三年（一八七四年），日本海军攻台湾，生番地悉为所占。清廷闻之，知上年所答中奸计，起与交涉，同时亦遣兵台湾，促日撤兵，日人概置不理，派使携所收集各种文案赴中国，证明生番地不属中国。中国力辩无效，国交将破。后由英人调解，缔《中日和约》，即：一，中国承认日本此次征台湾系保民义举；二，中国赔偿琉球民抚恤银及日人损失费共五十万两；三，约束生番。照此条约，中国已正式承认琉球为日本领地矣。于是日本乃于一八七九年移琉球藩于内务省，与内国郡县同例。

二　中日战争

日本明治维新，竭力摹拟帝国主义政策，亟亟于殖民地的开拓，既得琉球，又想谋取朝鲜。朝鲜土极肥沃，所产米，麦，豆，棉，都甚丰盈；自从立国以来，即与中国有密切关系，在历史上，在血统上，在文化上都未曾和中国脱离过宗属关系。日本要攫取朝鲜，除了和中国开战外没有其他办法。甲午一役（中日战争）就是日本制造得来以夺取朝鲜的。

中日战争的焦点为朝鲜独立问题，盖日本须使朝鲜先脱离中韩宗属关系，方能进一步占为己有也。鸦片战争后，太平洋风云变色，日本首先维新，中国则依然老大，朝鲜有志之士相率东倾，冀有以自拔。日本乃利用此机，培植韩国内部亲日势力；于是朝鲜内部形成两大派，一为独立党，亦名日本党；一为守旧党，亦名中国党。中国此时，一不能刷新内政以领导藩属，复不能确立宗主国政策，坚决排除日本之干涉朝鲜内政，一味顽守故旧，强属国不使进取，对日本在朝鲜之制造内乱，非惟不为辞严义正的诘责，反取日本同样方法与之争在韩优势，是不特自贬其对韩的宗主国地位，且适帮助日本制造韩之内乱也。朝鲜新旧两派既成对立之势，日本乃百端煽惑，使用各种卑鄙手段，掀起韩国政潮，一以糜烂韩民，显示韩人在中国保护之下毫无出路；一，以制造种种口实，自己可以借此侵入。厥后，东学党起（光绪二十年即一八九四年四月），终结中韩宗属关系的中日战争就因此而爆发。

东学党是韩国人民因国政腐败，民生苦痛，起来锄击贪污，反对秕政的。日人见之，乃一方助其创乱，一方更派大批浪人混入，使此乱无法收拾。然后借口韩有内乱，调遣海陆军入韩。后复以韩国事变屡起，须代谋匡救为辞，向中国提出对韩共同改革案，主张中日两国设委员于韩京，管理其财政，吏政，兵警以及一切事业。中国初以韩为中国属国，不容日本干涉其内政，后退一步，即以日本历来主张韩为独立国为言，日本亦不应干涉其内政，始终不同意日本的这个提案，其实，日本这个提案，并非真的为韩国改革政治着重，特明知中国不能同意此案，故意用此为中日战争之开端耳。此案提出后双方往复交涉无效，虽经英俄二国公使居中调解，美俄两国向日严重劝告，日本之意终不少屈，盖其惟一用意在与中国开战以夺取韩地也。日本一方宣称中国既不同意共同改革韩政，日本决独力进行，一方迫韩廷废弃中韩历年缔结之一切条约，并托日本驱逐驻韩华军，同时即向中国派去的海军袭击（光绪二十年六月二十二日）而战局遂开。

此战胜负，将决定日本的能否取得朝鲜，而朝鲜的能否取得，又将决定日本的有无帝国主义前途，故日本对于战争已早有决心，预备已十分充足，关此事的一切政策都先已有了坚决详明的内定，然后在外交上战略上，用各种方法临机应变而一一实践之。在中国则完全两样，既无先定政策，复无应变方略，不仅事前在外交上军事上丝毫不妥为布置，做充分的准备，就是到了形势日紧，战机日迫之时，和战尚无一定主张；言战，则庭议驳斥足用军队的派遣，言和，则又不听英公使的居中调介。进退失据，坐使一向是利于中国的国际空气变为恶劣，派往朝鲜的先遣队，因不充分，无决心，而遭受敌人的迎头痛击。如此战争，固不待终局，各种条件早已决定中国之必遭惨败矣！

中日双方均于光绪二十年（一八九四年）七月一日正式宣战，实则始于六月二十三日的丰岛海战与牙山陆战，终于二十一年（一八九五年）二月二十七日的澎湖炮击。前后共经六战，而真正可以言战者，实只平壤，黄海，缸瓦寨，牛庄四役耳。丰岛，牙山二役，中国军队，事前既未有作战准备，临阵又未战先遁。平壤一役，为陆地上的大决战，黄海则为海上大决战，均以军械不良，战术陈旧，将领无统一指挥，士兵无死战决心，大遭败挫。此二战既败，以后各地守将，率皆不战而退，或走或降。陆军方面，虽经马玉琨，吴大澄，各在缸瓦寨，牛庄奋勇激战，终亦无补大局的节节败退，辽东半岛全为敌占。海军则自黄海大败后，丁汝昌即率残舰伏处威海卫，终且因缺乏防御常识，惟知困守一隅，坐待敌人袭击，致北洋舰队全军覆没。大小六战，除缸瓦寨一役，仅马玉琨获一全胜外，其余均归中国惨败，水师全灭，陆军死伤逾万，失军需无算。日本既占有辽东半岛全部及威海卫，渤海南北关门尽为所有，黄海制海权全落日人掌握，乃另编一舰队直趋澎湖岛。盖此为中国南海海军根据地，彼欲一并歼灭之，使中国尽失海上势力也。卒于二月二十七日，澎湖列岛亦尽为占领。中国遭受如此惨败，非尽由于战斗力之薄弱，实政府之优柔寡断有以致之耳。

清廷自与日本开衅后，军事，外交悉委诸李鸿章一身，然李之办事，又处处要受军机处及总理衙门之牵制。以身任重务之大员而不得自伸意志，实此役失败重大原因之一也。因此，李于此役，始终缺英断进取的精神，只求速了以释重负。战局未开，李即四出找调人，自开战以至终战，未尝有一日不在望有调人出自外国。其后，卒得美国出而调停，日本始以“须中国派全权赴日面议”为条件，允与中国开休战谈判。清廷初派全权二人赴广岛，以不谙国际公法被拒，乃改派李鸿章赴马关，于二月二十五日，与日本全权伊藤博文开和议。

首谈休战，日本提条件四项，要占领大沽，天津，山海关及三地上中国军队之一切军械军需，并由中国供给军费，山海关至天津之铁道亦交其管理。会议两次，双方坚持，不得要领。有日浪人小山六之助者刺李于出会议所回旅邸之归途，重伤左颊，事闻中外，尽皆惊愕。日政府惧列强非难，一方优礼李全权，一方速为让步，订无条件的休战条约。

继谈和约，日本提出之条约，内容概略如下：一，中国认韩为独立国；二，中国以辽东半岛，台湾全岛，澎湖列岛割让与日本；三，赔偿军费二万万两；四，为日本特开沙市，重庆，苏州，杭州四处为通商口，准日本汽船在宜昌至重庆，上海至苏州，杭州各航路自由航行；五，日人得向内地自由购买及输入各种货物，租栈存货，并免除税钞及一切派征费；六，日人得在各口通商从事各种工业制造，所用各种机器仅纳进口税即得装运各地，所制各货照输入货纳税（即免纳厘金）。此约于中国伤害极大，经李数次声辩，日本不肯让，后且以大队兵船过马关向大连对李威胁。李畏战如虎，惟恐和议不谐，即亦不顾此约将断送中国至若何地步而遽诺之。此即光绪二十一年三月二十日西历一八九五年四月十五日所订之《马关条约》也！

此约既成，俄国闻而失惊。盖辽东为日所占，彼之东洋海口将尽为所扼也。遂一面联络德法出而干涉，要求日本取消辽东半岛之占领，一面整备东方战务，以示决心。时英美亦恐日本所占太平洋权力过大，阴袒三国。日本屈于国际形势，不得已于本年九月吐还辽东，向中国增加赔款三千万两。

中日战争，如此结束，而清廷统治亦由此一蹶而不能复振。

第五节　帝俄的侵入

俄自彼得大帝即位（康熙十五年即一六七六年）以

后，效法西欧，国事日新，经济渐有转变，商业资本蒸蒸日上。人口亦多增加，西伯利亚益见重要。于是开辟东方航路的需要就日形迫切，鸦片战争以后，中国黯弱日益显露，东西各帝国主义都在中国攫取利权，占夺市场，又大与俄国刺激。于是帝俄对中国之侵略，就非以前可比。

穆拉甫瓦夫经略东方 俄欲开辟西伯利亚利源，必得黑龙江航路，欲得此航路，江口及附近海岸不可不为俄领，而海军势力，遂为必要。道光二十七年（一八四七年），俄皇尼古拉一世，一方面派海军中将尼伯尔斯基，率拜喀勒舰，视察黑龙江口附近海岸并侦测黑龙江险要，一方面命穆拉甫瓦夫督东西伯利亚以经略东方。时英国在华商务日见发展，恰克图贸易大受影响，穆氏经略东方之计益急。于是探测库页岛鞑靼海峡，黑龙江江口诸地形势，大修军备，谋占黑龙江北岸乌苏里江东岸诸领域。

《爱珲条约》 是时中国内有洪杨之乱，外有英法联军之厄，俄在黑龙江下游一带早已布置充实，优势全在俄方，且俄与英土，在商业上之冲突正亟，西方海口尽为所扼，太平洋海口成为俄国商业上惟一之出路，为防御东方也受其他帝国主义封锁计，惟有死力占有黑龙江江口。因此，帝俄百方谋占江岸地域，屡次提出欲以黑龙口，乌苏里江为两国境界。清廷既屈于实力，又未能先事预防，实际上，上述诸地实权早落他人手中。无已，于咸丰八年（一八五八年四月），结《爱珲条约》：一，黑龙口北岸全为俄领；二，自乌苏里江至东海岸为两国共有地；三，黑龙江，乌苏里江，松花口限于中俄两国船舶通航，准两国人一同交易。至此，以前尼布楚，恰克图两约之胜利完全消失！

《天津条约》 同时，英法联军陷大沽，要挟中国订《天津条约》，俄国派来交涉边界问题之大使布恬廷，因来时不得要领，亦赴上海与英法美等国取一致行动，至此遂亦援例订《天津条约》十二条（咸丰八年），主要内容为："一，除从前所定边疆陆路通商外，允俄国得由海路至上海，宁波，福州，厦门，广州，台湾，琼州七处通商，若别国再有在沿海增添海口，准俄国一例照办，税则亦同样办理"。二，俄国在中国海口通商处得设领事官，又得派兵舰停泊该处以资保护。三，通商处中俄两国人若有事故，中国官员须与俄领事或代理员会同办理。四，自后陆路通商处所与商人数目不必再有限制。五，准俄人进内地传教，置买土地，盖造房屋。六，日后中国若有优待他国通商等事，俄国一律享有。是俄国于独得北方权利外又与英法等国获得共同权利矣。

《北京条约》 咸丰九年，俄国驻北京公使伊格呶提叶夫来华赴任时，值中国与英法再开战，联军入北京，恭亲王不敢当和局，伊氏乘机出任调人，以身保恭亲王劝其出主和议。联军退出北京后，伊氏更向清廷要求缔结送俄巨利之《北京条约》。约共十五条，重要者为：一，两国沿乌苏里河，松阿察河，兴凯湖，白琳河，瑚布图河，珲春河，图们江为界，东为俄领，西为中国领，即将《爱珲条约》上两国共有之乌苏里江以东至海之地十九万三千方英里全割与俄国。二，俄商由恰克图至北京，经过之库伦，张家口地方，亦得为另星贸易，俄设领事于库伦与喀什噶尔。三，开喀什噶尔为通商口，照伊犁塔尔巴哈台试行贸易之例办理。

以上三约，中国损失甚巨，若当时在与英法开战以前，先应俄请，与之议和，联军入京后，恭亲王又不如彼其畏葸，损失必不若此之巨也。

《伊犁条约》 中俄接壤，东起黑龙江，西迄新疆，《北京条约》对于西方中俄疆界仍未明定。回乱大作（同治三年即一八六四年），俄人乘占伊犁（同治十年即一八七一年）。至光绪三年（一八七七年），始由左宗棠平定新疆，四年，遣崇厚为全权大臣，往俄索还伊犁。五年，订《伊犁条约》十八条，崇厚竟擅将伊犁南部特克斯河流域之广大平原割为俄国领土。清廷乃重命曾纪泽赴俄交涉，但崇厚乃清廷所派全权，订约不易更改，经多次折冲，始于七年（一八八一年）改订《伊犁条约》，损失虽已不如前约之巨，但赔款割地，仍复不小。主要条文如下：

一，赔偿军政费九百万卢布。

二，自伊犁西部别珍岛山，顺霍尔果斯河过伊犁河，南至乌宗岛山，廓里札特村，沿此等地划一线，线西全为俄领。斋桑湖方面之国境，则自奎洞山过黑伊尔特什河至萨乌尔岭划一直线为界。

三，除在伊犁，塔尔巴哈台，喀什喀尔，库伦，俄国照旧设立领事外交得在肃州及吐鲁蕃两城设立领事。

四，蒙古各处各盟，均准俄人贸易不纳税，并准伊犁在，塔尔巴哈台，喀什噶尔，乌鲁木齐，及关外天山南北两路各城贸易暂不纳税。

帝俄在以上各约上所得最优异之利权，为到处均不纳税贸易，实具经济侵略上巨大之作用。如侵占领土，虽亦获利不小，然于国民利益上无多大关系，因皆非中国经济重地也。至俄国革命后，于民国十三年，自愿对华放弃前订不平等条约上所获一切之权利，完全承认中国关税自主，此实中国外交史上之奇例也。

第四章　帝国主义初期的中国外交

第一节　引论

资本主义发展到了帝国主义时期，其侵略情形，较之以前大异其趣。盖资本主义国家，在资本主义时代，对外侵略的手段为货物输出，到了帝国主义时代，则其侵略手段已变为资本输出；在前一时期，他们所亟亟找求的是能销售大批货物的市场，到后一时期，则所要找求的是能够消纳大量资本的投资地。前者的侵略还带有自由竞争的意味，后者的侵略则利于独占。因此，他们相互间的冲突更比以前剧烈，侵略也就更为毒辣。他们都不以争得市场为满足，要进一步来独占所得的市场。换言之，他们所要的已不只是市场而是殖民地。

从对中国侵略的具体事实讲来，他们不只要打开中国的海禁，让他们来畅销货物，且要更进一步，把所得部分放在自己管理之下。换言之，就是要把他殖民地化。从中国方面讲，以前的外交，虽经常处在劣败的地位，但统治者终究还未失去独立的性质。到了后一时期即帝国主义时代，中国的统治者就开始一步一步地紧缚于帝国主义侵略政策的铁链而逐渐失去其独立与自由。因而他的外交也起了质的变化，即已不是对外抵抗而是对外妥协与投降。这种情形，就有下述许多事实为证。

第二节 各国在华的势力范围与美国的门户开放政策

中国与英法日相继开战，均遭败绩，逼订不平等条约，门户洞开，虚情毕露。是时国际资本主义长足进步，已入帝国主义阶段，亟须开拓殖民地，以谋积累资本的宣泄与势力的发展，见此地大物博，积弱无能的中国，对于他们投资的目的实为再好没有的一块肥土。于是群起而谋瓜分中国。只以群狼争食，都想多所获取，各不愿在中国划地自封，更不愿他人所得成为定案，故遂各自亟亟于在中国划定其势力范围，为扩张其在华势力的根据地。

（一）法国的势力范围　法国于干涉日本返还辽东半岛时（一八九五年即光绪二十一年），就在云南得到扩大通商地（新开思茅河口为贸易场），开采矿山及建筑铁道（安南铁道延长至中国境内），关税减轻，接续电线等利权。后即计划深入两广，云贵，四川诸省，将中国南部数省悉置于他的势力范围之内，于一八九六年复攫取福州船局实权，翌年，又提出海南岛不割让于他国与延长龙州铁道，开采两广云南矿山，修建滇安间通商道路等要求。一八九八年，英，德，俄，日，多在中国获得巩固的势力范围，法国更以“维持均势”为词，再提出更进一步的要求，历一年过半的交涉，卒得如下的势力范围：

一、两广，云南三省不割让于他国；

二、自东京至云南府之铁道由法国建造；

三、租借广州湾九十九年。

自此以后，法在中国内获开发南部三省权利，外据广州湾为海军根据地以为障壁，势力范围乃大固。

（二）德国的势力范围　德在十九世纪后半期，工商业日臻隆盛，急图扩张殖民地，除在非洲，南洋各地发展外，更在中国谋占势力范围，为远东发展的根据地，积四十年的侦察，决定山东为其目的地。一八九六年，自以促日返还辽东，对华有功，索取报偿，乃借教徒在曹州被杀，即进兵胶州湾，谋占领。先以大兵占领胶州府城，再提出条件向中国政府交涉。中国政府为武力所屈，卒于一八九八年许德国如下的条件而使山东全省为其势力范围：

> 一、以胶州湾租借德国，许其行使主权，建筑炮台，以九十九年为期；
>
> 二、准德国在山东造自胶州湾，经潍县青州等处，至济南及山东边界，又自胶州湾至沂州，经莱芜至济南之二铁道，并得在铁道附近三十里开采矿山；
>
> 三、山东省内需用外资或外料，外人开办

任何事业时，德国有优先权。

（三）帝俄的势力范围　干涉日本返还辽东，俄国实为主动，他所以如此，实因其早把满洲看做他的势力范围也。于还返辽东的翌年，光绪二十二年（一八九六年）为俄皇尼古拉第二举行加冕典礼的一年，俄请中国派李鸿章为奉贺使至圣彼得堡，乘机与订中俄攻守同盟密约，以其同防御日本为名，将满洲的开矿，筑路，警察，军港，关税等重要权利，悉置诸俄人之手，浸假而把其势力伸入关内，攫取京汉，正太两路的筑造权。一八九七年更与德国相约，德借胶州湾而俄借大连，旅顺两地。

（四）英国的势力范围　英国在南京，北京诸条约中，原已在中国得了许多实利与势力根据地，及见各国都在中国划定了势力范围，更是不肯后人。先于一八九六年，在《英法协约》中，规定得与法国同享云南四川之权利，次于一八九七，订中英新协约，规定开腾越，思茅，梧州，三水，甘州等地为通商口，又试滇缅铁道相联络，至一八九八年，更因俄借大连旅顺与得京汉，正太两线路权，提出：一，扬子江沿岸各省之土地不得租借割让与他国，并开放内河航线；二，中国税务司永久聘雇英人；三，租借威海卫；四，借资筑路造关外铁道（由山海关至新民屯与营口之路）等要求。同年，又以法租广州湾，危及香港为词，强借九龙半岛。又见德国获得山东筑路开矿全权，俄国获得京汉，正太两线路权，谋所以抗制之，用英国福公司的名义攫取两线沿路采矿权及运矿铁道筑造权，并与俄订协约，规定“长城以北为俄国筑造铁道范围，扬子江流域为英国筑造铁道范围，彼此不相侵犯”；与德订协约，规定“自天津至山东南境之路由德建造，自山东南境至镇江之路由英国建造”。自此，英在中国势力范围大定，故在同年在外务次官回答众议院议员的质问时，非常得意地说：“英国势力范围之扬子江流域，其所辖之地，括云南，贵州，四川，湖北，湖南，江西，安徽，江苏，浙江，河南之十省！”

（五）日本的势力范围　英法德俄这样凶狠地在争噬中国，日本自然不会“镇静”的。只因中日战争之后，实力已亏，新吞朝鲜，消化需时，因之内阁缺乏统一，外交不能有确定方针，只于一八九九年提出福建省及沿海一带不得租借割让与他国的要求，尚未有其他“奢举”，此非日本“谦让”，所以“待时”也。其实，彼之“大欲”最奢，后来之日俄战争与近年之东北事变，早伏机于此时矣！

（六）美国的门户开放政策　上述各国这样的在中国争划势力范围，势同瓜分。帝国主义者们这一时期对华的侵略，与前一时资本主义的侵略，大异其趣。其要点有二：一，这里所争的，都是筑路，开采等投资权与关税上的财政权；前期的要求，常只偏于通商，如同蚊虫之吸血，今则扼我血管，制我命脉矣；二，前期还是向中国政府“予取予求”，今则不必得中国的同意，置中国政府于一旁，只须他们自己互订协约，何者归谁，中国政府只在事后画一个押，所谓主权，盖已扫地。

惟时美国，独未向中国要求“势力范围”，而提出“开放中国门户”之宣言，谓：一，各国在中国所获之利益范围或租借地，或别项既得权利，互不相干涉；二，各国范围内之各港，无论对于何国入港商品，皆遵中国现行税率赋课，其赋课关税由中国政府征收；三，各国范围内之各港，对于他国入港船舶，不课本国入港船舶以上之入港税，各国范围内之各铁道对于他国货物，不课本国货物以上之运货费。一般近视者认为“美国是以超然第三者之地位，谋世界公共之和平”“救出中国于瓜分场中”。其实并非如此，特因美国资本主义发展较后，未能及早参加群盗之分赃，来迟了一步，只得运用另一种妙手，提出门户开放“新主义”，以便可得在群盗既已划定的势力范围内徐图插足耳。门户开放云者，共管中国之另一名词也，患近视病者其知之否？

第三节　“义和团事变”与《辛丑条约》

一　义和团之起

自从中日战争之后，中国在政治经济宗教各方面，备受帝国主义者的压迫，政治上则租借海疆要地，划分势力范围；经济上则外货源源流入，筑路开矿之权悉被夺取以去；宗教上则外国教士横行内地，庇护教徒罪犯，鱼肉乡里平民。虽则一八九九年冬季，美国有对华门户开放的主张，然而朝三暮四，暮四朝三，按之实际，依然无补。于是久经郁积之后，一般民众既感切肤之痛，自然酝酿一种反帝国主义运动，恰好其时义和团正在流行，便不期然而然地与之会合一处，而“义和团事件”以起。

义和团系白莲教之支派，以迷信鬼神相结合。其本来的宗旨，原系“反清复明”。但自中日战后，一方面因为中国备受压迫，同时复因他们在山东闹过几次教案，便逐渐成为一种反帝国主义的势力，因为他们是反抗外国压迫的，及因他们是迷信鬼神的，这正适合当时一般民众的心理，于是附和义和团的人便非常之多。会以当日满清政府正在戊戌变政之后，新派失败，旧派当权，亦相信义和团果有神术，足以扫除“洋大人”在中国之势力，遂乘机利用，于是义和团便忘了“反清复明”的主张，打起“扶清灭洋”的旗帜。一九〇〇年（光绪二十六年）四月，义和团分子自由东北来，布满保定，天津，北京一带。五月间，开始焚烧教堂，杀戮教民，并折毁各处铁路电线。六月间，日本书记杉山彬，德国公使克林德，先后在北京被杀，各国驻华使馆，亦被围攻。于是事态严重，致有八国联军之祸。

二　八国联军入北京

先是一九〇〇年五月“义和团事变”开始后，各国公使感觉危险，即调近海各国水兵五百余人，入京护卫使馆。其后事变扩大，各国使馆被围攻，日俄英德等八国乃决定增派军队，大举赴援。是年七月中旬以后，八国联军对天津施行总攻击，翌日即被攻陷。随后联军长驱西上，北仓，杨村，黄村，通州等处，节节失守，遂以八月十四日直逼北京。二日之后，北京被陷，清帝及太后等，仓皇向大同，太原，西安之线出走。联军既入京后，即解各使馆之围，搜剿义和团余党，并将北京全城画界分守，而任意掠夺其所管区域内之官民财物。于是北京居民，备遭蹂躏，而满清内府数百年之积聚，更为之荡然一空！以视一八六〇年英法联军攻陷北京时，其残破尤甚！

三　国内地方政府态度

北京战局既开，东南各省之总督，巡抚，均不与闻战计。山东为这次反帝国主义运动的发源地，巡抚袁世凯，力主“剿匪”，部下武卫左军之在直隶者，都召回本省，任“保护外人，剿讨拳匪”之务；两江总督刘坤一，湖广总督张之洞，两广总督李鸿章，闽浙总督许应骙，互相协议，各督一致，以正式公文通知上海领事团，告以“无论北京成如何形势，本省内之和平秩序（！）与外国人条约上之权利（！）保护不怠（！）”。领事团“欣然”（！）承认上述数省为“中立地”（！）。于是东南各省民众之以暴动来反抗帝国主义以与北方民众响应者，虽各地蜂起，终因封建军阀总督“保护”帝国主义“不怠”，未能成为一种运动。可见北方阴袒义和团之一二朝贵，决非助民，实争私利，也十足的证明了。封建势力之目无民众，唯知媚外，实早早已被其地位所规定，决无例外，而帝国主义之所以要竭力加以维护，实视其为侵略中国之利器也！

四　《辛丑条约》

北京陷落以后，清廷知大势已去，即派李鸿章与奕劻向各国议和。但以其时德国态度强硬，俄国另有目的，其他各国又都要索甚奢，是以意见不能一致，和议久无成就。联军占据北京竟逾一年之久。直至一九〇一年九月七日和议始告成立，缔结《辛丑条约》十有二条。

此十二条中，帝国主义者对于中国之侵略，可谓严密周详，毫无遗漏。就中除谢罪惩凶不计外，其余我国所受之重大损害，可于此简单说明之：（一）中国允将大沽炮台，及有碍北京至海滨间交通之各炮台，一律削平，而外国军队则得占领廊坊，天津，塘沽，滦州，秦皇岛，山海关各要地，遂使中国门户洞开，首都绝无屏障，世界各国，无此前例。（二）中国允许划定北京使馆区域，全归各国公使管理，不仅有警察权，而且有军事设备之权。于是在中国首都，添了一处外国的武装行政区域，一旦有事，首感威胁。所以自《辛丑条约》以后，中国外交内政，动辄由外人操纵，一时东交民巷的各国使馆，竟变成中国的“太上政府”。（三）满清政府对于全国各地，颁布严切之上谕，永禁加入“排外”团体；停止“排外”地方之考试；各省大小官吏保护外人不力者革职永不叙用。自此以后，外人骄纵益甚，官吏奴性日深，驯至媚外成风，国事愈不堪问。（四）中国承认每年划出一定经费，襄办白河黄浦江两水路之改善，此着似有代价，未可一例非议；然而我们于此，也应该认清，那便是帝国主义者这项提议，并非为中国存好心，而只是他们想化中国为一新式市场，便于国际经济侵略，乃不得不先谋交通上便利的原故。（五）中国允许各国赔款海关银四百五十兆两，分三十九年还清，实予中国以空前之负担。此款本利总额，依当时户部奏案，共达九万万八千二百二十三万八千一百五十两之多；其后按之实际，更复不止此数。据《辛丑条约》之（甲）项，曾有此四百五十兆两系按照海关银两市价易为金款之规定，故其计算方法，列强可以主张不以海关银两为标准，而以兑换金钱为标准，于是一转移间，此款遂成为我国的金货负债；而自一九〇二年以后，世界银价低落，每年除按表偿还外，尚须津贴海关银三百万两左右，是即所谓“镑亏”，此种额外负担，历年为数甚巨。我国财政状况，因之更加困窘。

这些，都是极明显的表示出他们要把中国民众镇压在绝大的巨石之下，永远不得翻身的恶毒用意。然而当时之执政者流，见此条约上没有割让土地的条文，还沾沾自喜，视为“不幸中之大幸”，颂为帝国主义“保全中国领土”的“宽大主义”，真所谓“陛下圣明，臣罪当诛”，洋大人恩德真浩荡哉!

第四节　日俄战争与日本对南满的侵略

一　帝国主义侵略政策的改变

自从鸦片战争以后，以至八国联军之役的六十年间，帝国主义者对于中国的侵略，得寸进尺，咄咄逼人，一有不合，动辄开战。例如一八四〇年的鸦片战争，一八五六年的英法联军之役，一八八四年的中法战争，一八九四年的中日战争，以及一九〇〇年的八国联军之役，都是我们所熟闻的。但是八国联军的结果，缔结《辛丑条约》以后，中外关系为之一变。此中情形，可分两方面言之。第一，在中国方面，可以说是已为国际帝国主义者所征服，而没有对外国开战的决心和勇气了；从前轻视外人的心理，现在已一变而为畏惧外人的感觉了。因为在联军入京以后，他们对于义和团的报复，固然无所不用其极，而尤其是在《辛丑条约》内面，直把中国束缚得周全紧密，绝不容有所回旋。首都要地绝无屏障，则外国权力可以操纵自如；赔款四百五十兆两，则中国财政长久受其桎梏。而且迫令清廷，晓谕全国各地，严禁一切“排外”事项，如果地方官奉行不力，即革职永不叙用，更足使一般人为之寒心，不肖者转而媚外，相习成风。一九〇四年日俄之战，竟以我辽东作战场；一九一五年日本向我要求“二十一条”，复以哀的美敦书相逼迫；此在以前，均将不免一战，而结果却均迁就了事。举此二例，可见其他。上下销沉，抑何可痛。其次，在外国方面，自《辛丑条约》以后，亦不愿与中国轻启战祸，此中原因，则一由于有戒心，一由于无必要。因为“义和团事件”，虽则以惨败结局，而论其动机，论其意义，多少总是各帝国主义对华急进侵略政策一种重大的反响。各帝国主义者有见及此，自然不能无所顾忌，因此便有意把他们的急进侵略政策，渐渐改换方式过来。此外，又因为自一八四二年的《南京条约》，以至一九〇一年的《辛丑条约》，已把各国对华的种种特权，次第规定得很结实，很完备，无论在政治方面，在经济方面，都已经有了坚固的，广大的基础。今后对华侵略，准可按图索骥，而无须乎大戟长枪。所以，在八国联军以后至世界大战以前这一个时期内，除一九〇四年有日俄之战外，其余便都不曾因为中国的事情，发生流血的惨祸。而各帝国主义对华的种种经济侵略，则较之以前更加显著起来。

二　满洲问题与英日同盟

当“义和团事变”初起之时，俄国以保护满洲铁路为口实，旋即派遣军队进迫满洲。但为免除各国疑忌起见，俄皇曾于一九〇〇年（清光绪二十六年）八月对外宣言，一俟满洲秩序恢复，俄国即行撤兵，断无占领满洲之意。其后俄军次第占领满洲全部，乃欲乘机与中国缔结特别条约，以期收得满洲的圆满利益，然后撤兵一部。一九〇一年二月，伦敦外交界喧传中俄之间，已有密约成立，其中规定，俄国驻满军队，今后应留一部，且将满洲门户封锁，置于俄国保护之下。此消息传出后，各国舆论大哗，纷向中俄提出责问：其结果，中国以各国反对为辞，拒绝批准，俄国以众怒难犯，亦只得声明废弃之。是年九月，《辛丑条约》成立，“义和团事件”告终，俄国以占领满洲，渐次失其口实，更亟亟于实际利益的取得，于是中俄第二次密约，又喧传于是年十一月协商妥帖。此约内容，外间所传各有不同，但其要点则为：（一）俄国以两年为期，撤退满洲军队；（二）今后中国军队，须用俄国将校训练；（三）俄国将牛庄铁路交还中国，而附以自后该铁道不得受他国干涉，英日两国军队不得由此铁路输送，将来中国若建造此铁路之支线须先得俄国之同意等等条件。此消息传出后，各国反对如前，扰攘多日，又以不得批准而罢。

以上中俄两次密约，虽均未得成立，然而俄国对于满洲的大欲，则已深予各国以不安，而以英日两国为尤甚。日本自明治维新以后，对外发展的目标，首在朝鲜满洲；一八九五年中日缔结《马关条约》，日本不仅截断了中国与朝鲜的宗主关系，并从中国夺去了辽东，日本上下，为之狂喜，而不料忽有俄国出面，干涉退还之事。此中屈辱，日本当不去怀。而且自从日本退还辽东以后，俄国自身对于满洲的侵略，更加急进；并有据满洲以争朝鲜之势。如一八九八年的租借旅大，一九〇〇年的进占满洲，都是大刀阔斧的行动，日本于此，当然更难坐视。同时就英国说，英俄势力处处冲突，历数世纪如此，为人人所共知。现在俄国势力，在满洲过度的膨胀，固与日本有不利，而同时亦足使英国在远东的局面发生动摇，为英国所最忌。于是一时英日两国的对俄方针，遂不期然而然的趋于一致。一九〇二年一月，英日两国以抵抗俄国为目的，在伦敦缔结英日同盟条约。

此条约对于中国乃至对于国际，关系极为重要。第一条，虽以承认中韩两国独立为名，实则欲将中韩两国，尤其是中国，置于英日两国共同控制之下，充其分量，“各得执行必要之手段”；而将其他各国，特别是俄国，排除于英日两国利益所在地之外。第二条，规定严守中立事项，则为未来之日俄战争早作准备；日本于此，不仅确定英不助俄，且可利用英国的海上辖境，以妨碍俄国的海军活动。第三条，规定协同战斗事项，亦系为未来之日俄战争预示限制，以防止将来各国或有助俄之事，综观全约，同盟关系甚为密切，此实为东方国家与西方帝国主义结对华同盟之第一次。同盟缔结以后，英国固借日本之力，得以舒其东顾之忧，而日本所护得于此同盟者，则其利益尤为重大。自此以后，日本俨然为东方之盟主，例入世界一等强国之中。此等国际关系变动之关键，实不可不特予注意。

三 日俄战争与中日满洲善后协约

一九〇二年十月，为满洲撤兵第一期届满之时，俄政府果于前半月间将驻军开始撤退，辽河以西，悉能如期撤尽。不料至一九〇三年四月，俄国之驻在满洲的第二期应撤军队，不仅到期不撤，且由驻北京的俄公使，提出新要求七条。其中要点，约有满洲土地，中国不租借或割让与他国；俄国撤兵之区，中国不得开作自由通商港；牛庄一切公务，为俄人经理；中国所设满洲电线，俄国得使用之等项。此要求提出后，列强皆警告中国不得承认，而日本舆论尤为激昂。是年六月，俄国陆军大臣东游，在旅顺召开远东俄官大会。会议毕后，驻华公使正告清廷："俄国鉴于满洲现状，纵令列国干涉，断不能无条件撤兵，虽因此事与日本开战，亦所不惜。"同时俄国对于韩国，亦复进行压迫；韩国拒绝俄国租借龙岩浦，则强于其他筑炮台以慑之。因是种种，日俄关系乃日趋于恶劣。计自一九〇三年七月起，至一九〇四年二月止，日俄之间，迭开谈判，均以各执己见，不能求得妥协。惟日本政府之方针，外交上虽与俄国多作周旋，军事上则竭力预作准备，以期立于自动制胜的地位。

一九〇四年二月四日，日本开御前会议，决议取自由行动；五日，对俄断绝国交；六日，日本舰队出发攻击旅顺之俄舰；十日，日俄遂宣战。

日俄宣战以后，其战争所在地，除一部在朝鲜外，大部实在我之满洲。以常理言，断难忍受。但以彼时各国皆劝中国严守中立，而清廷亦以“义和团事件”刚了，无力从事战争，遂允以满洲辽河以东为日俄交战地。一九〇四年三月十三日，中国政府曾对日俄两国发表中立宣言，以中国疆土供外国作战，真是可耻可怜，达于极点了。

自一九〇四年二月日俄战争开始，以至一九〇五年五月日本海大海战时止，历时凡一年有余。战争结果，俄国海陆俱败，日本财政亦极困难，遂同时接受是年六月上旬美国总统罗斯福的劝告，双方停止战斗，派遣全权议和于美国的朴次茅斯（Portsmouth）。一九〇五年八月，日俄和约成立，全文共十五条。根据此次和约，除日俄同时撤去满洲军队，俄国割让库页岛南部，日本在朝鲜确保优势外，并由俄国将租自中国的旅顺大连，以及长春旅顺间的铁路完全让渡于日本。关于后两者的规定，具见于该和约的第五、第六两条，兹将原文录之如次：（一）第五条规定："俄国以中国政府之承认，将旅顺大连及附属领地领水之租借权，与关联租借权及组成一部之一切权利，特权，及让与，又租借权效力所及地域之一切公共房屋财产，均让与日本。但在该地域内俄国臣民之财产权，受安全之尊重。"（二）第六条规定："俄国以中国政府之承认，将长春旅顺间之铁路，及其一切支线，并同地方附属一切权利，特权，及财产，与其所经营之一切炭坑，无条件让与日本。"于是旅顺，大连，南满铁路等等，便如此轻易地从俄国移入日本之手。

上项和约成立，日俄战争告终。日本政府以由该和约所生的中日间满洲新关系，不可不从速协定，便派遣全权代表小村寿太郎前来北京会议。一九〇五年十二月，小村与清廷缔结中日《满洲善后协约》如下：

一、中国政府承认日俄媾和条约第五条与第六条，俄国让与日本之各项。

二、日本政府，承认遵行中俄两国缔结之

租借地，及筑造铁路诸条约，将来发生何等案件时，随时与中国政府妥商厘定。

三、本条约以调印之日起施行，限二个月内在北京交换批准。

同时在寥寥的正约之外，中日两方又结有附约十一条，其中最重要者如下：

一、中国政府，于日俄两国军队撤退后，开次记之地方为商埠：(甲)盛京省之凤凰城，辽阳，新民屯，铁岭，通江子，法库门；(乙)吉林省之长春，吉林，哈尔滨，宁古塔，珲春，三姓；(丙)黑龙江之齐齐哈尔，海拉尔，爱珲，满洲里。

二、中国政府，允将安东奉天间军用铁路，仍由日本政府接续经管，改为专运各国商工货物铁路。

三、中日两国政府，为增进交通运输起见，准南满铁路与中国各铁路联络。

四、营口，安东，奉天府各商埠，由中日两国派员划定日本租界。

五、中国政府，允设一中日合同木材公司，以采伐鸭绿江右岸之森林。

六、满韩交界陆路通商，彼此以最惠国之例待遇。

以上正附二约，名义上为日本战胜俄国之结果，其所能获得者，限于代俄国享有辽东租借地与长春至旅顺间铁路之一切利益而止，其实日本依据附约，实大扩张权利于代有俄国利益之外。一方面既强迫东三省开商埠十余处，以为日后日本向满洲大移民之张本。同时又归定满韩陆路通商之最惠待遇，以取得以俄国之无税贸易及减税贸易同等之特权。此外，并得继续经营安奉铁路，更贻满洲以无穷之后患。

四 日本在南满势力的发展

上述中日协约及附约成立以后，日本对于南满洲的侵略，便已有了条约的根据。一九〇六年（清光绪三十二年）六月，日本政府设立南满铁路株式会社，名义上以经营满洲铁路为业务，实则为日本侵略南满洲经济的大本营。同年八月，日本政府复设立所谓关东都督府："关东"二字，在中国文字上系包含山海关以东之地而言，故其权力不仅管辖辽东租借地，而实及于南满洲全体。自此两机关先后设立，南满洲便从此多事；各种问题，次第发生。兹择其尤要者，分五项述之于次。

（A）抚顺炭矿问题　抚顺炭矿，距奉天府约六十里，其炭田沿运河延长三十余里，炭层最厚处约一百七十五尺，最薄处亦八十尺，其所含炭量，至少在八万万吨以上。一九〇七年（清光绪三十三年）春间，日本驻华公使林权助，向中国外务部主张该炭矿为东清铁路之附属事业，依《朴次茅斯和约》第六条及中日满洲善后协约第一条，应划为日本之权利。外务部以该炭矿在东清铁路三十里之外，不认为东清铁路附属财产。林权助则以俄国于一九〇四年春间，既然修炭坑铁路，中国政府并不反对，且以东清铁路会社所得采掘之矿山，大抵皆在三十里距离之外为辞，坚持主张不让，双方不下，成悬案一。

（B）间岛主权问题　中韩国境，西南以鸭绿江为界，自古无疑义；东北方图门江流域，及两江水源相接近之长白山附近地步，则所属不明。清康熙中两国各派勘边大臣，实地勘定，于鸭绿，图们两江水源之白头山上，树立界碑，规定西以鸭绿江东以土们江（即图们江）为界，于是国境问题，得有根本决定。然清廷以发祥之地，不准人民移居，因之吉林东部，到处人烟稀少，而图们江北部之间岛地方亦然。清同治中，韩国大饥，其民多渡图们江，移居间岛一带。光绪初年，吉林将军铭安，令韩国人退去，韩国政府以土们江非图们江相抗辩。清廷遂在间岛中央，设官屯兵，重税韩民；韩国政府屡向地方官吏交涉，未有结果。及至日俄之战，韩国变为日本保护国后，日本政府竟于一九〇七年秋间派官兵入间岛，与中国争主权，清廷当与交涉，要求撤退官兵，日本政府不仅不应，且多方诱致本国商民浪人前往开拓，成悬案二。

（C）新法铁路问题　满洲开放以来，商务日盛，营口英商，劝中国政府借英款修筑新法铁路（自新民府至法库门）且延长至齐齐哈尔，以发展满洲之商务，并抵制日本在南满洲之垄断。中国政府，欢迎此议，并与英人，开始交涉，不意日本政府忽以新法铁路，系南满洲路平行线，即南满铁路之利益竞争线，根据北京会议录抗议之（一九〇五年十二月中日两国为满洲善后订立协商附约外，另存会议录，声明南满铁路附近不修竞争线）。英国舆论对此，大攻击日本之干涉，但日本则称列强与中国缔结铁路契约时，皆有禁筑竞争线之约，日本不能独异。中国政府，无如之何。旋中国提议交付海牙和平会议仲裁解决，亦遭日本拒绝，成悬案三。

（D）营口支线问题　先是一八九九年，中俄间东清铁路公司第一增补条约第四条，曾规定为筑造南满洲铁路，运送一切材料便利起见，中国准公司得设营口支线，使与港口联络；但南满洲铁路落成后，由中国政府之要求，将该支线撤去之。俄国规定营口支线，俟干路成即撤去者。系恐营口夺去大连的商务。其后南满利权，由俄国让渡日本，中国即依条约明文，要求日本撤去该路；惟中国政府之意，非果欲其废弃，实欲收归中国自营。日本有见及此，且欲囊括满洲，不肯实行前约，而其回复中国之口实，则为俄国以封锁满洲为务，故惟恐营口发达，日本主张门户开放，使满洲公平发展，故不能不变通办理云云。清廷无可如何，成悬案四。

（E）安奉铁路问题　安奉铁路，为自朝鲜入奉天惟一之要道，关系国防，可谓至重。一九〇五年十二月中日在北京成立之附约，允归日本接续经管，实由日本强迫而成，殊不愿其由军用路而改成宽轨路。一九〇八年（清光绪三十四年）冬间，清帝逝世，幼君继位，日本乃乘此时，要求清廷同派委员，勘定改筑安奉铁路之新路线。时幼君新立，政局缺统一，比由邮传部派员，与日本委员会勘路线，大致即依日本委员预定之路线勘定之。日本旋要求实行收买地基，清廷外务，邮传两部各避责任，遂以此事委东三省总督锡良办理。锡良主张该路工事，只能依旧路改良，不许扩张轨道，尤不许更改路线，且要求日本撤退该铁路之守备兵与警察，为日本所绝不承认。于是安奉铁路之改建，连同上述各事，遂为当时满洲之五大问题。

以上各项问题，除最后一项外，前四项均悬搁颇久；及至最后一项发生，日本采用急进手段，清廷无力抗阻，乃悉因之让步解决。一九〇九年（清宣统元年）七月，日本政府竟向中国外务部发最后通牒，声称日本现已决定不依中国之协力，但本条约上之权利，径取自由行动云云。同时日本即命南满洲铁路会社实行兴工改建，其海陆军亦一时咸取警备，殆有不辞一战之势。清廷经此威胁，只得俯首承认，而于是年八月，与日本缔结安奉铁路协约如次：（一）安奉铁路轨道，与京奉铁路同样。（二）曩日委员勘定之路线，两国大体承认。（三）此约调印之翌日，随即进行工事。（四）铁路沿线之中国地方官，关于施行工事，给予诸般便宜。于是安奉铁路问题，全依日本意旨解决。

安奉铁路协约成立以后，中日之间，又继续有间岛协约与满洲五案协约之缔结。在间岛协约内，重要规定如次：（一）中韩两国仍以图们江为界，但中国政府承认开放几处商埠，准许韩民照旧在间岛居住。（二）上记韩民，服从中国之法权，归中国地方官管辖审判，但“日本领事或委员，可任便到堂听审”。（三）“中国政府，将来将吉长铁路（自吉林至长春）延长至延吉南边界，与韩国会宁铁路相联络”。（四）本约调印施行后，日本官兵即行撤退。依据本约，间岛地方幸而未失主权；然而约中国规定，中国将来将吉长铁路延长，与韩国会宁铁路相联络，则又留下一种与安奉铁路正相类似的后患了！至于“满洲五案协约”，内容较繁，分别录之如下：

一、中国政府，如筑造新民屯至法库门之铁路时，允与日本政府，先行商议。

二、中国政府，允日本国将大石桥至营口支路，俟南满洲铁路期限已满之时，一律交还中国，并允将该支线末端，延长至营口新市街。

三、抚顺烟台两处炭矿，和平商议如次：（甲）中国政府，承认日本政府有开采上项两处炭矿之权；（乙）日本政府，尊重中国之一切主权，并承认该两处开采之煤斤，纳税与中国政府，惟该税率，应按照中国他处最轻煤税之例，另行协定；（丙）中国政府，承认对于该两处煤斤，准他处最轻输出税率之例，征出口税。

四、安奉铁路沿线，及南满洲干路沿线之矿务，除抚顺烟台外，应照光绪三十三年（一九〇七年）东省督抚与日本总领事预定大纲，由中日两国人合办。

五、京奉铁路，延长至奉天城根一节，日本无异议，其应如何办法，由该处两国官宪及专门技师，妥为协定。

以上第四项之规定，为抚顺煤矿问题之扩张。而第五项之规定，则因京奉铁路本借英款建筑，修至山海关时，遇中日战争而停工。其后日本连胜中俄两国，视南满洲为己有，不许他国染指，直至此时，以英方之督促，及其他问题解决之获利，日本始为此无异议之认可。综计满洲各项问题，至是悉以日本自由行动之压迫，全依日本之要求以解决，举我国南满洲之全境，尽包拥于日本铁轨之中！所有矿山，随与俱尽！其心计之毒，手腕之辣，视俄人在北满洲盖尤过之。

第五节　蒙藏问题

一　中俄间的蒙古交涉

日俄之役，俄国虽然战败，可是元气未衰，仍然为世界上一个强国。他此后对于中国除继续侵略北满外，便是加紧侵略外蒙。蒙古自清初隶属中国版图，向分南北二部，南部为内蒙古，北部为外蒙古；外蒙古与俄属西北利亚毗连，自清雍正以降，早有过相当的交涉。一八八一年（光绪七年）中俄两国在伊犁订约，除解决新疆方面悬案外，并规定"蒙古各处各盟，均准俄人贸易，概不纳税"。遂使俄人对于蒙古王公，向其煽惑，想截断蒙古与中国的隶属关系，而置于俄国保护之下。一九一一年（宣统三年）八月，蒙古亲俄派的首领抗达多尔济亲王，约会各盟重要人物开会，筹备外蒙古政治上宗教上之独立，而向俄国求援。俄政府旋即以保护国的口气，照会中国政府，要求撤废蒙古方面的中国军备，却一面派遣俄兵进驻库伦。随后蒙古王公得俄援助，又趁中国革命的机会，正式宣布独立，建国号曰大蒙古国。

蒙古独立后，俄国向清外务部提起交涉，要求中国准许蒙古自治；中国不得在外蒙驻兵，殖民；俄国饬领事官协助担保蒙古自治对于中国应尽之义务等项。当时清廷以革命军声势浩大，无暇与俄谈判；以后民国成立，草创之初，亦未与俄交涉。于是俄国政府于一九一二年

（民国元年）十月，直接与蒙古缔结《俄蒙协约》四条，附约十六条，约中规定俄国予蒙古以实力之助，禁止中国军队与移民入境，并许俄人在蒙古享有种种特权。俄人此种举动，直认蒙古为独立国了。

《俄蒙协约》成立后，中国政府即向俄国抗议，说蒙古无与外国缔约之权，所有俄蒙条约，一概不能承认。交涉将及一年，所订《中俄协约》，要点如下：（一）俄国承认中国在外蒙古之宗主权。（二）中国承认外蒙古之自治权。（三）中国承认外蒙古人享有自行办理外蒙古之内政，并整理本境一切商工事宜之专权。中国允许不干涉以上各节，故不派遣官兵，驻扎外蒙古，并不办理殖民事务。惟中国可任命大员，携带卫队，驻扎库伦。（四）俄国承认外蒙古为中国领土之一部分，但凡关于俄国及中国在外蒙古之利益，以及外蒙古政治土地交涉各事宜，中国允与俄国协商，外蒙亦得参与其事。

二　西藏问题

西藏自清初内附，向有办事大臣常驻其地，但以邻近印度，致为英国所垂涎。从印度到西藏中间，有一哲孟雄王国，为藏印交通要道，英既立意侵略西藏，必先从哲孟雄下手。自清道光以来，英国迭以利诱威迫诸手段，收哲孟雄于势力范围之内，于是西藏从此益多事了。

一八九三年（清光绪十九年），英国又与清廷缔结藏印续约，中国允开放西藏之亚东为商埠，并允对于输出入各货物概免纳税五年。然藏人对于此约，极不满意，亚东开埠，延未实现，于是一九〇四年（光绪三十年）又有英军攻击藏人之事。此次英军进陷拉萨，强迫藏人缔结《拉萨和约》，其中除增开商埠，赔偿军费，削平炮垒外，并有西藏一切事情，非得英国许可，不得举办的规定。清廷闻讯，亟与英国交涉，于一九〇六年（光绪三十二年）复订藏印续约六条。其中要点如下：（一）《拉萨和约》作为本条约之附约。（二）英国允不侵占藏境，及不干涉西藏一切政治，中国亦承认不准其他外国干涉藏境及其他一切政治。（三）《拉萨和约》第九条所声明之铁路道路电线矿产各项权利，除中国独能享受外，不许他国及他国人民享受，惟经与中国商定，英国得自印度境内联络西藏三商埠之电线。以上各节，虽幸而争得中国在西藏的主权，然而英藏间的《拉萨和约》，除略加限制外，也同时大体承认了。

一九〇九年（宣统元年）清廷幼君新立，英国便运动藏人独立。清廷出兵征讨，达赖逃入印度。一九一一年（宣统三年）中国发生革命，达赖乘机返藏，号召其部众，进犯川边，逼打箭炉。一九一二年袁世凯命川滇两督合兵征讨，达赖大败，川滇联军正在预备远征，英驻华公使忽然提出抗议，向袁政府要求下列数事：（一）中国不得干涉西藏内政。（二）中国除卫队外，不得派兵入藏。（三）关于西藏问题，中英两国另以新约定之。（四）中国若不承以上条款，英国即不承认民国政府。这四项全属无理要求，但袁政府急于求各国之承认，对英使不能竣拒，军事遂无进展。一九一三年袁派代表与英代表藏代表会议于印度之希摩拉，次年四月成立草约十一条，要点如下：

> （一）中英政府概认西藏为属于中国宗主权之国，并承外藏有自治权。今为尊重该国疆界之完全，所有外藏之内政，应由喇嘛政府管理，中英政府均不干涉。中国政府不改西藏为

行省；西藏不出代表于中国议院，及类似之团体；英国政府不合并西藏之任何部分。

（二）中国政府现既承认英国在西藏地理上有特别利益，英国为欲西藏建有实力政府，保守印度附近境界，及毗连西藏各国之治安起见，今约定除中国驻藏代表得酌带卫队外，中国不得对西藏派驻官兵，并不办理殖民事宜。

（三）现以订定本约之故，所有西藏境界，与内藏外藏之分界，以红蓝线绘明于所附地图之内，西藏政府对于内藏，保有关系宗教事务之权。

综观此项草约，将以前条约中，我国在西藏有主权，有特殊地位之处，一概取消，而改为属于中国宗主权之国；且于西藏川边间，另设所谓内藏外藏区域，由中国承认外藏亦有自治权；而此等内外藏之区域，究在何处，又不明白载清，但以红蓝线绘明于所附地图之内；此等损害，何等重大，故消息传播后，国人群起抗争，袁政府亦以舆情激昂，拒绝正约签字。其后继续磋商，双方迄难一致，西藏问题，遂成悬案。

第六节　辛亥革命前后的国际对华投资

一　清廷利用外资

日本既因战胜俄国而握得太平洋上的霸权，对中国的威胁自是不小。且在满洲积极经营，直以领土视之，在这种局面之下，濾顸的清廷亦不得不为之警惕，而大思振作。知外人之强，不只在于枪炮精良，于是派人出洋求新学，考宪政以谋革新内政：见路矿关于国运之大也，竭力设法将前日让诸外人开筑之路矿收回。然此一切，需有巨款，新创之余，国家之所入，人民之所生，偿付赔款且虞不给，奚暇举新政，募借外债，是所急矣。是时，各帝国主义者正在觅取容纳巨资之投资地，中国有此需求，真是求之不得的好机会。于是群向中国应募巨债。然内政不修，外债之害更甚于其他筑路开矿等侵略，盖外人取得债权之地位，其困厄中国内政之力量骤增。清廷卒以之统治日坏，遭受人民之反对日烈，终因川汉，粤汉两路之债款问题，引起辛亥革命。

二　各国投资的竞争

中国民众自迭受中日战争，八国联军，日俄战争等战役之刺激，怵于帝国主义侵略之猛烈，民族危亡之无日，群谋挽救。对于《马关条约》，德借胶州湾诸事，首先上书请愿拒绝，而政府不之顾。继而收回路矿自办之运动，几遍于有关系之各省。帝国主义者，见向者显而易见的侵略方法，易遭中国民众的反抗，乃一转而为投资的竞争，纷纷承揽借款，争为中国之债权者，以便中国有何等问题发生时可以用债权国的地位，出而宰制一切。

各国对华承揽借款之竞争，始于光绪二十一年（一八九五年）之俄法借款四万万佛郎（用偿甲午赔款二万三千万两），英德见之，即于次年迫订借款英金一千六百万镑之约。一八九七年，俄法又与清廷订借款筑造京汉铁路之约，同年，华俄道胜银行又承借修筑正太铁路之借款。先是，英之福公司已与山西商务局订立借款采矿附设铁路之约，至是，忌俄承揽路款已多，复向清廷要求筑造天津镇江间，山西河南襄阳间，九龙广东间，上海南京间，浦口信阳间，苏州杭州宁波间各铁道之全权，且由汇丰银行承借建筑山海关外铁道之款。于是英俄，英德起冲突，于一八九八年英德自行协定："自天津至山东南境由德筑路，自山东南境至镇江由英筑路。"一八九九年英俄自行协定："长江以北为俄国筑路范围，扬子江流域为英国筑路范围。"自此，吾国比较繁盛区域之路权几无不为英俄德法等国所垄断。至一九〇九年，建筑粤汉铁路之湖广借款问题发生，英法德争执不相下，美国出而干涉，主张对华投资取利益均沾主义，乃于一九一〇年成立四国银行团。一九一一年（宣统三年），四国银行团与清廷订结借款正约，以建筑自武昌郴州之粤汉路线及自广水至夔州之川汉路线。一时舆论大哗，群起反对，革命起于武昌，清室以亡。

三　新银行团与满蒙除外

自逊清末年，日俄两国即着着为封锁满洲之谋，其他各国至不满意，尤以美国为最，时时企图打破此种封锁政策。宣统二年（一九一〇年）中国币制借款议起，美国急出承揽，招英德日参加，独日本拒不参加，且从中破坏。民国成立，各省停解款项，中央收入毫无，乃向英，美，德，法四银行团商借善后借款六千万镑，四银行团怕日俄反对，招其加入。几经波折，卒于一九一三年（民国二年）由袁世凯与五国银行团（美国未参加）签订善后合同，借款二千五百万金镑，许用外人稽核盐务，稽核借款用途，并许银行团有查账之权，实开外人监督财政之端，且规定非与银行团商妥，不得发行他项政府借款。是则中国财政已完全操之外人矣。

善后借款谈判中，日俄坚持以垄断满蒙利权为加入银行团之条件，得英，法，德，美之允许。六国银行团成立后，始则要求监督中国财政，继又要求监督中国盐务，美国因以退出，六国银行团遂成为五国银行团。一九一四年欧战发生，德国复见摈，五国银行团又变为四国银行团，一九一七年俄国革命，自动退出此种肆行侵略之银行团，于是银行团中实际只余三国。大战中英法无力应募中国借款，于是所谓银行团者只余日本一国。民国成立后，内乱迭起，日本乘机尽量承揽各种借款，至一九一八年，日本所借中国债款，总数已达六万万日金，一跃而居中国债权者之第一位，中国领土行政完整之保全与夫工商业机会均等之原则，遂为之毁坏几尽。

英美见而妒愤，遂倡中国铁路统一之主张，谓各国宜将各自获得之中国路权，合并为一整个路权，即由中国向各国为借共同投资之新债，还清从前各国分别承揽之旧债，将中国已成未成各铁路完全统一之，俾列强利害相共，盖即国际共管之义也。而新银行团遂由此发生。

美国之发起新银行团，意在打破日本封锁满蒙之政策，至为明显，然日本见是时国际形势于己不利，无法拒绝，乃提出“满蒙除外”之条件以为对案。双方争执历二年（一九一九——一九二一年），卒以南满，吉会，吉长，四洮，新宁诸线，规定在新银行团投资范围之外，公认日本特权为条件，成立新银行团。此新银行团之成立，意义厥惟两种：一为中国归国际共管，一为南满割归日本也。当时中国政府“垂拱无为”，一听各国之宰割而已。

第五章　世界大战中的中国外交

第一节　世界大战与中国

一九一四年（民国三年）夏秋之交，欧洲各帝国主义者因为利害冲突的关系，以“塞拉耶孚事件”为导火线，居然大战起来。当战争的开始，只是同盟方面的德奥，与协约方面的英法俄对抗；其后战争范围扩大，欧美日本诸国大都卷入漩涡，于是欧洲大战，一变而为世界大战。在此大战期中，欧美各国都在欧洲大战场内大忙特忙，无暇兼顾其他方面，遂使日本得以乘此千载一时的机会，采取单独的急进的对华侵略手段，以破坏远东的均势，而掠取中国的利权。所以中国在大战期内所受于日本的损害，较之以前，特别危急，特别厉害！中国在日本人的心目中，那时殆已成为俎上肉了。计大战开始于一九一四年秋间，告终于一九一八年冬间，历时四五年之久，各方面极多变化。中国在此期内，每年关税约增八百万两；盐余增至三千万两；至一九一七年，中国因为参加协约方面的作战团体，延付“义和团事件”的赔款五年，每年约得一千九百万两；又因此解除德奥两国债务约共五千万两，这实在是中国整理财政的一个绝好的机会。无如彼时中国政府，为北洋军阀所把持，媚外肥私，攘权夺利，驯至变乱迭出，更足为日本帝国主义者所乘。国事至此，遂江河日下了。

第二节　日本出兵占领山东

一九一四年秋大战爆发以后，国际局面大有变动，中国此时如能乘机和德国交涉，收回胶州湾租借地，以及德国在山东的其他权利，或竟以兵力恢复之，未始不是一种失之东隅收之桑榆的措置。无如其时中国政府为袁世凯所盘踞，方媚外之不遑，自不足以语此。是年八月六日，中国宣布中立。不过同时在日本政府方面，他却不愿如此省事。日本自连胜中俄两国之后，久思独霸远东，并吞中国，但为国际均势所牵掣，常苦顾忌太多。现在天假机缘，西方各国均在欧洲厮打，无暇顾到远东方面，刚好让日本单独宰割中国，他如何肯放过？所以在大战期间，日本属行对华侵略，自是势所必至，而开其端者，则为夺取胶州湾。是年八月二十三日，日本假英日同盟的名义，正式对德宣战，一面派军舰封锁胶州湾，一面派陆军大举攻青岛。德国守军，顽强应战，但以寡不敌众，结果终于降服。先是日本声言夺取胶州湾时，袁政府要求共同出兵，为日本所拒绝，乃划定胶济铁路之潍县车站以东为作战区域；不过日本出兵目的，原不仅在胶州，而实欲乘机侵略山东全省，故作战区域之划定，日本竟不受其约束。是年九月二十六日，日军突至潍县，占据车站。十月三日，复迫中国军队退出铁路附近地方。同月六日，日本大队，进达济南直占领胶济铁路全线，及铁路附近各矿产。此种横暴举动，实在无可忍受，若在旁的国家，必将出于一战，然而当时袁政府竟吞声忍受之。随后日本借题发挥，索性更进一步，便发生了所谓“二十一条”的交涉。

第三节 “二十一条”交涉

日本占领山东，野心犹以为未足。一九一五年（民国四年）一月十八日，日本借口中国要求撤兵，即为侮辱日本，突由日本驻华公使日置益，向袁政府提出绝无理由的“二十一条”要求。其中内容，共分五号，每号包括一条至七条不等，兹将各条条文录之于下：

第一号

一、中国政府，允诺日后日本政府德国政府，协定关于德国在山东省依据条约或其他关系享有一切权利利益让与等项之处分，概行承认。

二、中国政府，允诺凡山东省内并其沿海一带土地及各岛屿，无论何项名目，概不让与或租借与他国。

三、中国政府，允准日本国建造由烟台或龙口接连胶济路线之铁路。

四、中国政府，允诺为外国人居住贸易起

见，速自开山东省内各主要城市为商埠，其应开地方，另行协定。

第二号

一、两缔约国互相约定，将旅顺大连租借期限，并南满安奉两铁路期限，均展至九十九年为期。

二、日本国臣民，在南满洲及东部内蒙古，为盖造商工业应用之房厂，或为耕作，可得其需要土地之租借权或有权所。

三、日本臣民，得在南满洲及东部内蒙古，任便居住往来，并经营商工业等项生意。

四、中国政府，允将南满洲及东部内蒙古各矿开采权，许与日本臣民，至拟开各矿，另行商定。

五、中国政府，应允下开各项，先经日本政府同意，然后办理。（甲）在南满洲及东部内蒙古，允准他国人建造铁路，向他国借款时；（乙）将南满洲及东部内蒙古各项税课作抵，向他国借款之时。

六、中国政府，在南满洲及东部内蒙古，聘用政治，财政，军事各顾问教习，必先向日本政府商议。

七、中国政府，允将吉长铁路管理经营事宜，委任日本国政府，其年限自本约划押之日起，以九十九年为期。

第三号

一、两缔约国互相约定，俟将来相当机会，将汉冶萍公司作为两国合办事业，并允如未经日本政府同意，所有该公司一切权利产业，中国政府不得自行处分，亦不得使该公司任意处分。

二、中国政府，允将所有属于汉冶萍公司各矿之附近矿山，如未经该公司同意，一概不准该公司以外之人开采，并允此外凡欲措办，无论直接间接，对于该公司有影响，必须先经该公司同意。

第四号

一、中国政府，允准所有中国沿岸港湾及

岛屿，概不让与或租借与他国。

第五号

一、中国中央政府，须聘用有力日本人，充为政治，财政，军事等项顾问。

二、所有中国内地所设日本病院，寺院，学校等，概允其土地所有权。

三、向来中日两国屡起警察案件，以致酿成纠葛不少，因此须将必要地方之警察，作为中日合办，或在此等地方之警察官署，聘用多数日本人，以资筹划，改良中国警察机关。

四、由日本采办一定数量之军械（如中国政府所需军械之半数以上），或在中国设立中日合办之军械厂，聘用日本技师，并采办日本材料。

五、允将接连武昌与九江，南昌之铁路，及南昌杭州间，南昌湖州间各铁路之建造权，许与日本国。

六、福建省内筹办铁路矿山，及整理海口（船厂在内），如需外国资本时，先向日本国协议。

七、允日本国人在中国有宣教之权。

以上日本要求五号二十一条，侵害中国程度至深，范围至广。第一号各条，除第一条继承德国在山东的权利外，其第二三四各条，更乘机扩张日本势力，远在德国原有权利之上。第二号各条，使日本在南满东蒙，取得独占的地位，尤其是其中第一第七两条规定，实际上即系割让的处分。第三号各条，将大冶铁矿，萍乡煤矿，作为中日所共有，汉阳兵工厂自然也要受日本的控制了。第四号专条，直欲吞并中国全境，不许他人染指。第五号各条，如指聘顾问，如合办警察、军械等，更是以中国为日本保护国的条件，或预备以中国合并于日本的先声。似此极端要求，完全是帝国主义国家覆灭弱小国家的行为，或战胜国压迫战败国的行为，今日本无端向中国提出此等条件，实为国际间所不经见之创举。

当日置益向袁政府提出"二十一条"的时候，亦知此种越轨要素，为中国民意及各国政府所不容，故力责袁政府严守秘密，从速解决。并声明中国政府如果泄漏条件，日本政府必当更索赔偿。其实此等外交，断无秘密之理。假使当时中国政府，能将条件明白宣布，则一方面既可获得国民的后援，一方面并可引起各国的反对，日本纵然强悍，也不致毫无顾忌。无如彼时袁世凯别具肺肝，不敢得罪日本，竟将此等大事，密付于一二外交官之手。随后中日谈判开始，其中内容局外人概不得而知，英美两国乃向日本政府质问，要求提示谈判条款。日本政府一方面将“二十一条”里面第五号各条全然删除，而以其余较轻条件通知英美两国；一方面则加紧谈判进行，力促袁政府承认了结。同时日本海陆军队，复次第开抵我国福州，厦门，吴淞，大沽，以及山东，奉天各地。此时袁政府既无决战之心，势必出于承认，但以碍于国民反对，尚在迁延未决。日本至此，更不放松，而于一九一五年（民国四年）五月七日向袁政府提出最后通牒，限令“中国政府至五月九日午后六时为止，为满足之答复，否则日本政府即将执行必要之手段”。换一句话说，中国如不承认，日本便要开起战来。袁政府接到最后通牒后，连日开会讨论，结果决定屈服，而于五月九日午前，命外交次长曹汝霖向日本公使馆交付答复书，除第五号中各项容日后协商外，其余一概应允。于是日本向中国要求的“二十一条”，便居然达到目的了。

第四节 “郑家屯事件”

自袁政府承认“二十一条”的无理要求以后，日本对于中国，更加横暴不堪。一个很著名的冲突，便是“郑家屯事件”。郑家屯原为东部内蒙古哲里木盟地，一九一三年（民国二年）始改为辽源县，属于奉天省洮昌道。按照条约规定，外人不能进居。但日本志在吞并满蒙，便悍然作进一步的侵略，而将南满日军，移一支队于郑家屯，并设立日本巡警署。虽经奉天当局迭请撤退，而日本政府悉置之不理。

但日本侵略手段，并不以此为止，一有机会，还要扩大起来。一九一六年（民国五年）八月，郑家屯市内一小孩因事与一日本商人口角，为日商所扭打。适该地驻军第二十八师某团一兵士走过，出而调解，日商遂转向兵士寻仇。随后该日商更跑到驻扎郑家屯的日本兵营报告，引出大队日兵，前往二十八师团部攻击。众枪齐发，各有死伤。于是日本认为时机已至，一面强迫二十八师驻军退出郑家屯，一面调来八面城公主岭各处日军大部，并宣布自郑家屯至四平街三十里内，不准华人入境，以示全行占领之意。中国政府于此，不知辩明责任，向日本提出抗议，反让日本于是年九月，以先发制人的手段，向北京外交部提出要求八项。其中内容，除关系本问题者外，还有要求在南满东蒙设置日本警察，在南满东蒙的中国军队内聘用日本将校为顾问，在中国士官学校内聘用日本将校为教习等项，全与本问题无涉，而为格外扩大之要索。此案发生以后，中国舆论极形愤慨，各地报纸上，几乎天天有主张抵制日本的记载；但在中国政府方面，和对其他外交问题一样，却没有勇气去和日本尽力交涉。因之日本要求，大致均获成功。一九一七年（民国六年）一月，中日间郑家屯问题，遂以交换下列之各条照会而解决：（一）申斥第二十八师师长。（二）有责任之中国军官，按照法律酌量处罚，其应从严者自应从严。（三）于日本臣民杂居之区域内，出示告谕一般军民，对于日本军民应待以相当礼遇。（四）

奉天督军，对于关东都督署及日本领事馆，表示抱歉之意。（五）给日本商人吉本五百元之恤金。（六）日本因“郑家屯事件”发生，增派至该处之军队，于以上五项全部实行后，即行撤退。综观以上各项，中国对本问题的屈辱不待论，即日本原来提出的几项本问题以外的要索，此时表面上似皆放弃之，而考其实际，则事变初起时，日本在四平街郑家屯一带设置之警察署，在交涉终结后，日本方面仍未有撤退之举。是中国虽无明文承认，而日本则已实地施行。抑尤有进者，日本军队无端进驻郑家屯市内，实为此次事变发生之真因，中国自应要求日军全部撤退，乃此次照会规定，日本所应允撤退者，但因“郑家屯事件”发生而增派至该处之日军而已，是更不啻我以条约承认原派日军享有驻扎郑家屯之权！中国外交官吏之粗心，畏事，误国，往往如此。

第五节　日本银行团借款

一九一七年八月中国终于对德宣战，然因国内迭起纠纷，战争连年不绝。所谓对德宣战云云，竟成“宣而不战”之象。日本政府看了这种形势，便又乘机决定了他的侵略中国的另一方针，换一句话说，就是要以借款的手段，来破坏中国的统一，而使日本得以从中取利。按日本必于此时特别发挥借款之手段者，分析起来，可以说有三种原因：第一，有日本供给北洋军阀借款，则中国内争，充分延长，而使中国在参战期内不能实行参战之职务。于是中国国际地位不能提高，而日本对于中国之非法掠夺则可确保。第二，中国内争延长，北洋军阀愈需借款，于是日本又得以借款之饵，利用北洋军阀，扩张对华势力于既得权利之外。第三，民国初年，各国对华投资团体，初为六国银团，继为五国银团，日本殊感牵制之苦。现在则自大战发生以后，德国被屏于银行团之外，团体中仅余英法俄日本国，而英法俄又以大战方酣，自顾不暇，无应中国借款之力，故事实上列国银行团乃递变为日本之一员。此在日本，为何等求之不得之事。于是日本对于借款条件，乃可予取予求，不复有他国掣肘了。根据以上种种原因，所以日本在一九一七年的时候，便在国内组织特殊银行团，扩张其机能，使专听政府的指挥进展。当时日本除将台湾，朝鲜，兴业三银行，及其他投资机关，均扩张改良外，另设一中华汇业银行，以中日合办之名义，任中国人陆宗舆为总裁，使其协助各项借款之成功。设备既完，进行斯猛。计自一九一七至一九一八两年之间，日本政府对于北京政府所借之款，几达五万万元之巨。兹将已经知道的十四项借款的名义，数目，债主，及成立日期等，简单列表于下：

名义	数目	债主	成立日期
(一)第一次善后借款	日金一千万元	正金银行	一九一七年八月二十七日
(二)交通银行借款	日金二千万元	台湾朝鲜兴业三银行	同年九月二十八日
(三)吉长铁路借款	日金六百五十万元	南满铁路公司	同年十月十三日
(四)第一次军械借款	日金一千六百万元	泰平公司	同年十一月十五日
(五)直隶水灾借款	日金五百万元	日本银行代表	同年十一月二十二日
(六)第三次善后借款	日金二千万元	正金银行	一九一八年一月六日
(七)无线电信借款	日金五十三万余元	三井物产株式会社	同年二月二十一日
(八)有线电信借款	日金二千万元	汇业银行	同年四月三十日
(九)吉会铁路垫款	日金一千万元	兴业银行	同年六月十八日
(十)第二次军械借款	日金二千三百余万元	泰平公司	同年七月三十一日

续表

（十一）金矿森林借款	日金三千万元	汇业银行	同年七月三十一日
（十二）满蒙四路垫款	日金二千万元	兴业银行	同年九月二十八日
（十三）济顺高徐铁路垫款	日金二千万元	兴业银行	同年九月二十八日
（十四）参战借款	日金二千万元	朝鲜银行	同年九月二十八日

除此以外，据日本大藏省之报告，尚有满蒙四路正式借款一万万五千万元，制铁借款一万万元，但其借款契约，中日皆不发表，故其内容如何，以及何时成立，局外人概不得而知。总计上述十四项借款，及日本大藏省所报告之两项借款，共达四万万六千万元以外。日本帝国主义者的加倍努力于此可见。

以上各项借款成立，均于中国不利，而尤其是济顺，高徐铁路垫款与参战借款两项，关系重大，应分别为补充之说明。第一，济顺，高徐铁路之垫款二千万元，完全为日本政府收买北京政府人物，使之断送山东的一种手段。先是日本占领山东各要地后，虽以“二十一条”，得袁政府之承认，但究系出于强迫，不足以掩列强之耳目；日本如欲杜绝中国将来在和会控诉日本之口实，则必须设法诱致中国，另外成立一种出于自愿之条约或公文。适值当时北洋军阀政府因忙于内争，亟须借款以供战费，即饮鸩止渴，亦在所不计。于是日本政府乃于一九一八年秋间，密与中国驻日公使章宗祥商议，以胶州至济南之铁路，归中日合办，又济南至顺德，高密至徐州之二铁路，借日本款项建筑为条件，允将日本在山东之军队，除留一部于济南外，其余全部撤至青岛；又将胶济沿线日本警察撤退，代以中国巡警队，但应聘用日本为顾问或教练。以上条件应诺后，日本即先垫出十足款项二千万元，以济北京政府之穷。北京政府对此因有二千万元可供内争之用，居然毫无异议。于是胶济铁路中日合办之约，济顺，高徐二路借日本款项建筑之约，随即分别成立。而当时驻日公使章宗祥，答复日本外相后藤之照会，更完全依日本之指示，载入“中国政府，对于日本政府开示各项提议，欣然同意，特此奉覆”字样。章宗祥此项照会，即后来日本所称山东善后协定者是，而“欣然同意”四字，即为异日巴黎和会中我国对于山东问题根本失败之主因！甘于卖国，是诚何心？一念及此，不胜痛愤。

其次，一八一九年九月参战借款二千万元之成立，系根据所谓中日军事协定而产生。而所谓中日军事协定也者，则系一九一八年三月至五月间好几个公文和协约的合成的名目，据一九一八年二月，俄国新政府与德奥单独讲和，协商方面，殊受影响；协商各国为阻止新俄党人侵入亚洲起见，便提议共同出兵西伯利亚，援助该处反对新俄的军队。日本乘此机会，乃以中日共同出兵名义，节节引诱北京政府，而于秘密中成立了那震动一时的中日军事协定。此项协定原文，两国政府从来不肯正式发表；直至一九一九年二月，中国南北两方在上海开和平会议时，因南方总代表之要求，始由北方总代表将关于中日军事协定的文件四种，在和会中宣示出来。依照此等文件，中国损害极巨，而其最显著的，即为中国允许日本军队，进驻吉林黑龙江及外蒙古各要地；中国军用地图，交给日本查阅；在中国军队中，由日本供给海陆军官充任教练等等。而且除此四种以外，其余秘密文件还不知道有多少呢！虽则此等协定，因为全国舆论始终攻击，卒于一九二一年一月由北京政府照会日本取消，然而日本在中国参战期中，对于中国各方面的侵略，实已表现得无所不用其极了。

第六节　巴黎和会中的山东问题

一九一八年十一月，世界大战告终，协商各国便决定召集巴黎和会，以筹议各种问题的善后。当巴黎和会召集之初，各国在表面上，都承认美国总统威尔逊所宣布的十四条，作为和平会议的基础。此十四条里面，如外交公开，如民族自决，如各国的政治独立及领土保全，无论大小，一律平等之类，都是很堂皇而漂亮的。中国人民，闻而欣感，便对巴黎和会，抱了很大的希望，谁知事实上竟完全是“泡影梦幻”呢？

日本对于中国的侵略特别利害，同时他对于中国的布置也就特别周密。在大战正剧的时候，日本曾和中国以及欧洲订了许多条约，以为先发制人之计；在大战将了的时候，日本又运动各国驻华公使，向中国提出参战不力的警告，以损伤中国在协商方面的地位；而在巴黎和会的时候，日本更利用他在最高会议的地位，多方捣鬼，多方要挟，以牵制各国的主张。这样一来，中国的失败，便可以说是历史注定的。一九一八年十二月，中国政府任命外交总长陆征祥，及顾维钧，王正廷，施肇基，魏宸组五人，为全权代表，列席巴黎和会。一九一九年一月，五代表到达巴黎后，根据北京政府前后训令，作成我国提出和会之希望条件七条：一为废除势力范围；二为撤退外国军警；三为取消外国邮局及有线无线电报机关；四为撤废领事裁判权；五为归还租借地；六为归还租界；七为关税自主。时中国留欧学生，以和会关系中国甚大，特组织团体，推举代表，探询提案内容，而主张欲收回山东权利，非要求和会取消二十一条之中日协约不可，于是五代表又作成请求和会取消一九一五年中日协约的陈述害，一并送交和会最高会议。可是最高会议的答复是怎样呢？它不管中国有怎样好的理由，只轻轻地说那不在和会的根据以内，便把中国所提出的所谓“希望条件”的“希望”根本打消了。

中国代表在巴黎和会的一般提案，既被最高会议一笔勾销，今后所进行者，惟在直接收回德国在山东省的一切权利而已。一九一九年一月二十八日，最高会议开会，讨论山东问题，通知中国代表出席陈述意见，当由顾维钧，王正廷二人出席，提出中国要求胶澳租借地，胶济铁路，及其他关于山东省之德国权利，直接归还中国之提案。此提案提出后，中国代表曾有详明坚决之发言，颇动各国之视听，惟日本代表牧野，则称关于胶州湾之处置，以及山东铁路办法，中日两国早已订有成约，大有根本不必提出讨论之意。中国代表声称一九一五年五月的《中日协约》，系由日本强迫而成，不能发生效力；而日本代表则谓一九一八年九月的山东善后协定，中国政府固有“欣然同意”之明文。因之中国在和会之地位，乃大趋于不利。同时日本对于国际方面，却大施其活动。英法意三国，早有一九一七年二三月间密约的关系，已不能为中国进一言；美国一国虽可不受拘束，日本却又提出人种平等案，以为挟制或交换之地。一九一九年四月中旬以后，意大利代表为着阜姆问题未能贯彻，愤然离去巴黎，日本代表更好乘机恫吓，声称最高会议若不承认日本的山东权利继承案，则日本亦只有离和会。遂使急于目睹巴黎和会成功与国际联盟实现的威尔逊，不得不委曲求全；而山东问题的解决，乃全依日本的意志。兹将当日协商各国对德和约的第一百五十六至一百五十八条，分别录之如次：第一百五十六条：“德国根据一八九八年三月六日之《中德协约》，及其他关于山东省一切协约，所获得一切权利，特权，胶州之领土，铁路，矿山，海底电线等，一概让与日本。德国所有胶济铁路权，及其他支线权，及关于此项铁路一切财产，车站，店铺，车辆，不动产，又矿山，开矿材料，及附属一切权利利益，让与日本。自青岛至上海至芝罘之海底电线，及其附属一切财产，无报酬让与日本。”第一百五十七条：“胶州湾内，德国国有动产，不动产，及关于该地直接间接之建筑，及其他工事，无报酬让与日本。”第一百五十八条：“德国于和约实行后三个月内，将关于胶州之民治，军政，财政，司法一切簿籍，契据，公文书，让渡与日本。同时期内，德国将关系前两条所记权利特权之一切条约，协约，合同等，让与日本。”观此三条规定，可知中国在巴黎和会中，对于山东问题，委实完全失败。然而当时北京政府，在亲日派势力之下，竟至不顾屈辱，训令代表签字。幸而其时全国舆论沸腾，一致坚决反对，同时留欧学生团体，亦宣言谁签字者，即以武力对待。于是结果中国代表卒拒绝签字于一九一九年六月二十八日成立之对德和约。

第六章　全国民众觉醒中的中国外交

第一节　中国空前的五四运动

在巴黎和会中，中国完全失败之结果，却予中国以新的刺激，新的生机者，是即为空前的五四运动的出现。遂使中国从前旧式的官僚外交，有一变而为新式的国民外交之势。先是一九一九年四月下旬，巴黎和会对于山东问题之命运，已经大致决定后，中国代表向北京政府电告经过情形，其中有“此次中国主张失败之原因，一由于一九一七年二三月间，日本与英法诸国有胶澳让归日本之密约，二由于一九一八年九月，我国当局与日本政府有‘欣然同意’之山东换文，遂使爱我者无从为力”等语。此电一到，舆情激昂，群目当时政府中亲日派之章宗祥，曹汝霖，陆宗舆等为卖国贼。是年五月四日，北京各校学生万余人集于天安门，手执各种慷慨悲愤之旗帜，要求政府严惩各卖国贼，不幸为警察所阻。群众乃转而焚曹汝霖住宅，殴章宗祥几死。虽经警察拘捕多人，北京大学学生郭钦光等且因伤致死，然而压迫愈甚，其反抗亦愈厉。北京各校，纷纷组织演讲团，并查烧日货，以次传至各省各埠，学生商人一体罢课罢市。北京政府不得已，乃于六月六日开释被捕学生，并准章宗祥等辞职（时章宗祥任驻日公使，曹汝霖任交通总长，陆宗舆任造币厂总裁）。至排斥日货之风，则依然遍于全国。六月十日，北京内阁全体辞职。六月二十八日，中国代表对于巴黎和会之对德和约拒绝签字。中国国民自动起来，干涉政府外交行动，且能发生如是之大影响，此在近代中国确为最值得纪念之一事。因为中国近百年来，所有外交事件，专由政府中少数人秘密包办；帝国主义专利用此弱点，迫诱此少数人以掠夺我国之权利！而我国之官僚军阀，亦安于此弱点，以实行其卖国利己之私。以往事例，不胜枚举。直到此次五四运动，始将中国国民的对外精神，发挥于世界。一方面既使国际帝国主义者，知中国真正民意之所在；一方面亦使北洋军阀政府，知秘密究不可恃，清议究不可犯，而不得不听从国民之主张。换言之，即现代中国明确的反帝国主义运动，公开的革命的国民外交，皆于是发轫。其意义，其价值，是非常伟大的。

第二节　第一次的平等条约

近百年来，中国和外国所订条约皆不平等，直至一九二一年（民国十年）五月《中德协约》成立，始有第一次平等条约的产生。早在一九一九年六月的对德和约中，除关于山东权利让渡日本外，另有数条，规定德国放弃在中国的租界，放弃对中国的特权，以及其他赔款，营房，炮台等项。但以当时中国代表拒绝签字，中德关系一时悬而未决。是年九月，北京政府发出对德战争状态中止的布告，中国对德，算是恢复和平。至于德国方面，因为经过大战以后，元气损伤过甚，经济压迫，尤感困难，希望照旧通商以资救济。因之对德和约中，关于山东问题以外之其他中德条款，德国不论中国签字与否，一律遵照实行。一九二〇年，德国派代表卜尔熙来北京，要求两国恢复商务关系；一九二一年五月，《中德协约》正式成立。兹将德国声明文件，及《中德协约》原文，分别录之如次。

德国向中国声明文件：

德意志共和政府，愿基于完全平等，及真切相互之主义，合于普通国际法之规条者，以恢复中德之友谊，及通商关系。惟德国因战事局势，迫不得已，将一八九八年三月六日与中国所订之条约，及其他关于山东文件，所获得之一切权利特权，于《凡尔赛和约》，已抛弃之，失去将以上各种权利特权，归还中国之能力。兹特向中国政府声明下之数项：

一、德国承认取消在华之领事裁判权；

二、德国抛弃驻北京使署所属练兵场之全部权利；

三、德国偿还中国各处收容德国人之用费。

《中德协约》：

中德两国共和政府，以本日德国政府声明文件为根据，并觉悟领土主权之尊重，与平等相互各种原则之实行，为维持各民族间睦谊之惟一方法，特订下记之协约：

一、两国得互派正式外交代表，互享受国际公法所承认之一切权利。

二、两国得互派领事等官，互享受他国同等官员之优礼待遇。

三、两国人民，互有游历居住及经营工商业之权利，惟以第三国人民得游历居住及经营工商业之地为限。其生命财产，均在所在地法庭管辖之下，而遵守所在国之法律。其应纳之税捐租赋，不得超过所在国人民所纳之数。

四、两国有关税自主权，惟人民所办两国间或他国所产之未制已制货物，其应纳进口出口或通过之税，不得超过所在国本国人民所纳之税率。

五、本日德国政府之声明文件，与本协约各条件，为将来商订正约之根据。

六、本协约以法文为准，自批准之日起发生效力。

上述德国声明文件。与《中德协约》六条，使中德两国，立于相互平等地位，实为中国自鸦片战争以来所未尝有，而为中国外交史开一新纪元。此等平等条件之构成，一方面固由于德国战败，无力维持不平等条约之权利；同时亦由于中国自五四运动以后，业已发生了反对帝国主义，取消不平等条约的觉醒，对外平等，实为全国一致所要求。时代转变，极堪注意。

第三节　华盛顿会议与中国各问题

自从世界大战以后，日本在远东的势力，异常膨胀，美国看了眼红。同时英国亦有切身利害关系，不能作壁上观。故英美两国都要裁制日本，以恢复战前的均势。一九二一年七月，美总统哈定遂以讨论限制军备与协商远东问题之名义，邀请关系各国开会议于华盛顿，是年十一月十一日正式会议便开幕了。

华盛顿会议的总机关，为英美法意日荷比葡与中国等九国代表共同组织的总会议。在总会议之下，分设远东问题委员会与军备限制委员会，两委员之下，又设各分委员会若干。会议结果，除英美日法意五国海军协定，英美日法四国协约之外，即系直接与中国问题有关者，会议的内幕，原不过英美日等帝国主义企图减少内部冲突以共同宰割中国而已。所以中国在这次会议里没有得着什么。

当时中国代表施肇基，顾维钧，王宠惠等提出之议案，先后共十余起：一为十大原则；二为山东交还中国；三为废弃“二十一条”之中日协约；四为撤销领事裁判权；五为关税自主；六为退还租借地；七为取消势力范围；八为撤退驻华军警；九为撤去客邮；十为撤废无线电台；十一为尊重中国战时中立；十二为各国嗣后不得相互缔结对华之约；十三为解决有关中国成约之法律上的地位。下面即对此十三个提案分别述之。

（A）十大原则　此原则是会议开幕后五日为我国

代表所提出，内容如下：（一）甲、各国尊重并遵守中国领土之完整与政府行政之独立。乙、中国自愿声明，不以本国领土或沿海地方，无论何处，割让或租借与任何国家（多么可怜呵！）。（二）中国极赞同门户开放，即所谓有约各国工商业机会均等主义，故自愿承认并实行此主义于各地方，无有例外（这无异说，中国自愿处在半殖民地的地位，永劫不复！）。（三）为维持并增进彼此间信任，及太平洋与远东和平起见，各国倘不先期通知各国，俾有参加之机会，不得互订直接有关中国或太平洋与远东和平之条约或协约。（四）无论何国，在中国或对于中国，要求之特别权利，优越权，特免权，暨一切成约，不论其性质若何，契约根据若何，均当宣布。凡此等权利，未经宣布，概作无效（宣布了自然是有效的呵！）。其现已知悉，或应行宣布之特别权利，优越权，特免权，暨一切成约，应予审查，以便确定其范围与效力。其经审定有效者，亦应使之不相抵触，并与本会议宣布之原则相合。（五）凡中国现受政治，行政，司法，行动自由之限制，应即时废止，或按照情势所许废止之（好在有这种“橡皮性”的句子）。（六）中国现时之成约，其无期限者概须附以确定之期限（即规定九十九年也是可以的！）。（七）为解释让与特别权利或优越权利之文据，应依照通行之解释原则，以有利于让与人严格解释之。（八）将来倘有战事，中国不加入战团，应完全尊重中国中立之一切权利（仿日俄战争成例划中国一部分领土为战场，也可保持中立呵！）。（九）应订立和平解决条文，以便解决太平洋与远东之国际争议。（十）应设立讨论太平洋与远东国际问题之会议，以便随时召集，并为缔约国决定共同政策之基础。上述十项原则提出以后，各帝国主义者仍不同意，嗣由美国代表以中国所提原则太多为言，另外提出四项原则，经各国委员赞成通过。四项原则，内容如下：

（一）尊重中国之主权与独立，暨领土与行政之完整。

（二）给予中国完全无碍之机会，以发展并维持一有力巩固之政府。

（三）施用各国之权势，以期切实设立并维持各国和中国境内之商务实业机会均等之原则。

（四）不得乘中国现在状况，营谋特别权利，而减少友邦人民之权利，并不得奖许有妨友邦安全之举动。

这样空空洞洞不着边际的四条，就是华盛顿会议给我们的“恩物”。洋大人毕竟比我们这些“阿斗”聪明得多。

（B）各国以后不可相互缔结对华之约　此案提出时，中国代表说明各国既尊重中国之主权与独立，希望嗣后关于中国问题之讨论，须先照会中国，否则各国不得再订直接关系中国之任何约章或谅解，英国代表，当即起而反对，谓此等提议，足以限制各国订约之权。后由英代表提出修正案，经各国委员通过，其文如次：“本会列席各国决议，不得彼此间，及单独，或联合，与会外一国，或多国，订立条约或合同或协议或接洽，其性质足以侵犯或妨害本会议所宣布之对华四项原则者。”此与原意，相差甚远。

（C）取消势力范围　过去列强对华势力范围之划定，不但侵犯中国之政治完整，且足引起各国相互之争端，所以中国代表提议取消。但各国帝国主义者，却不肯为全般的明确的允诺，而由美国代表提出下列意见，以为转圜之地："缔约各国协定，对于各该国彼此人民间之任何协定，意在中国指定区域内设立势力范围，或设有互相独享之机会者，均不予以赞助。"于是中国的取消势力范围要求，便依此轻轻了结！

（D）尊重中国战时中立　按照国际公法，战时中立地位，自然应当尊重。所以中国代表提出此案以后，总算比较顺利，旋即予以通过，不过回忆一九〇四年的日俄战争，以及一九一四年的胶州的前例，则事到临头，帝国主义能否严格实行，还是疑问！

以上各提案，次第修改，列强认为此等案件，全系缔约各国对于中国适用之原则及政策，便将美国代表提出之中国门户开放案，英国代表提出之铁路平等待遇一并加入，制成一种条约，即后来通称《九国远东公约》，以重新树立对华均势者是。

（E）关税自主　此案提出以后，列强对于本案主旨，无人议及，惟对于修改中国关税，即实行值百抽五以外之附加税，加以讨论而已。结果，英国代表提出修改中国关税大纲四条，便换去了中国的关税自主，大纲办法，录之如次：（一）由各国与中国组织特别会议，筹备废除厘金，并修正物价表，令得切实值百抽五之数。（二）厘金未废以前，由该会酌定一定之过渡时间，在此时间内，增加一种附加税，该附加税应一律按值百抽二点五，特种奢侈品亦可增税，惟不得超过值百抽五。（三）关税行政制度，不得变更。（四）海陆关税，均应按值划一。后来列强将上述大纲制成一种条约，即九国间关于中国关税税则之条约，并将大纲第一条中之所谓特别会议，规定为“应于本约实行后三个月内，在中国会集。其日期与地点，由中国政府决定之”。于是中国关税自主的要求，又如在巴黎和会一样，终归不曾达到目的。

（F）撤销领事裁判权　此案提出以后，列强并无直截明确之表示，但依美国代表之意见，决议如次：“本会到会各国政府，应于本会闭幕后三月内，各派委员一人，合组一委员会，考察在中国领事裁判权之现在办法，以及中国法律，司法制度，暨司法行政手续，以便将考察所得关于各该项之事实，报告于本会到会各国政府，并将委员会所认为适当之办法，可以改良中国施行法律之现在情形，及辅助并促进中国政府，力行编订法律，及改良司法，足使各国逐渐或用他种方法放弃各该国之领事裁判权者，建议于本会到会各国政府。但上列各国之每国，对该委员会建议之全部或任何一部，均有自由取舍之权。”此种议决案，可谓滑稽已甚；该项委员会，既只有报告建议之权；而其建议，即令有利于我，各国又得自由取舍，则其结果，直等于零。其去撤销领事裁判权之程度，殆不知若千万里。

（G）撤退驻华军警　此案提出以后，日本反对最力，盖因外国驻华军警，以日本为最多。中国代表，几次提出驳辩，乃由各国会同决定，俟各国驻华代表，调查详实，再行酌办。这样下去，便又毫无实际，完全成了一个官样文章！

（H）退还租借地　此案提出讨论时，英日两国代表，直言九龙及旅大不能交还。至威海卫及广州湾，英法虽有可以交还之说，但又不允即时谈判解决；于是中国要求退还租借地案，乃毫无结果了局。

（I）撤去客邮　外国在华邮政，比起其他权利，关系本来较小。所以此案提出以后，各国乐得做个人情，为华盛顿会议留一点面子，便略附约束，答应于一九二三年一月一日实行撤去。在华盛顿会议中，但有此案与尊重中国战时中立案，算是得到了帝国主义者惠而不费的允许。

（J）撤废无线电台　此案提出会议讨论，各国代表意见纷歧，后为此案制成决议五项，大致是承认外国在中国已成的各电台，但稍加限制，并隐寓今后不得继续增设之意。于是对于外国在华已成各电台的地位，不但没有撤废成功，而且还替它加了一层保障。

（K）解决有关中国成约之法律上的地位　中国代表提出本案的用意，原欲将以前各国相互间对华的协定密约等等，一律要求废弃，但后经各国商议结果，但成立了下列的决议："参与本会议之各国，以各项事件，关于中国之政治，暨其他国际义务，及有关中国之各国之政治，暨其他国际义务，嗣后均应完全宣布。"此决议虽聊胜于无，但较中国原意则相去远甚。

（L）废弃"二十一条"之中日协约　中国代表提出此案时，日代表当即拒绝讨论。中经美国代表调停，日本不纳，各国多有攻击。至大会闭幕前四日（一九二二年二月二日），日本乃向各国发表宣言，将有碍列强机会均等之数条款声明放弃，以缓和国际之感情，而对中国代表之提案，则拒绝讨论如故。结果，但由大会承认中国保留他日解决此案之权。

（M）山东交还中国　关于山东问题，自中国在巴黎和会拒绝签字以后，日本便迭次迫诱北京政府为直接之交涉，以便与亲日派私相接受。但以中国民气激昂，直接交涉不获实现。此次华盛顿会议开会后，中国代表便将山东交还中国案提出大会，但日本代表则借口国家体面所关，不允在大会中讨论。斯时国际舆论，咸忌日本在中国的特殊地位，几于一致攻击日本之所为，日本不能峻拒，只得依英美两国之提议，由中日两国在会外自行讨论，但英美代表亦共同列席，而将所得结果，报告大会取决，于是中日两国代表，便在华盛顿为变相的直接交涉。计自一九二一年十二月一日起，至一九二二年二月四日止，中间迭开会议，结果成立中日《山东条约》十一节二十八条，附约六条，及两国会议纪录中之协定条件十六条。兹将中日《山东条约》十一节中每节规定的大意，述之如次：

（一）胶州德国旧租借地，归还中国。

（二）日本前此接收之德国公产，交还中国，但为设立青岛日本领事馆所必须者，归日本政府保留，为日本居留民团体公益所必需者，仍归该团体执管。

（三）日本在青岛济南及胶济铁路沿线军队，一律撤退。

（四）青岛海关，应即完全为中国海关之一部分。

（五）胶济铁路由中国用国库券向日本赎回，其价值为五千三百四十万零六千一百四十一金马克，该库券偿清期限，定为十五年，在未偿清以前，中国应选任一日本人为车务长，并选任一日本人为会计长，与中国会计长权限相等，其任期均以库券偿清之日为止。

（六）胶济铁路二延长线（即济南顺德线，高密徐州线），让与国际银团。

（七）淄川，坊子，金岭镇各矿山，中日合办，略附限制。

（八）胶州德国旧租借地，中国自动开为商埠，准各国人民自由居住营业。

（九）胶州沿海监场，由中国备价购回。

（十）青岛烟台间及青岛上海间两海底电线，归还中国。

（十一）青岛，济南两无线电台，由中国备价购回。

以上各种条件，经中日两国代表签字后，报告于华盛顿会议之大会，经大会公认，山东问题便是如此了结。

综观以上中国在华盛顿会议的十余起提案，除尊重中国战时中立与撤去客邮，幸承帝国主义者的慨允外，其余具体的重要的问题，如税权，法权，租借地，外国军警，“二十一条”等等，却都葬送于滑稽敷衍，毫无结果之中！关于日本在山东省的特殊权利，虽因英美之嫉视，日本终不得不承认退还中国，但在退还办法中，却又随处附以许多的条件。

第四节　中国宣告“二十一条”无效

当华盛顿会议时，中国政府十余起提案，什九未能贯彻，所以会议闭幕以后，中国民气激昂，人心振奋，迥非以前可比。此时除南方革命政府，最能领导民众，开始革命外交以外，即在北洋军阀政府，亦以迫于舆论，而有一二差强人意之事。如一九二三年三月，北京政府宣告废弃“二十一条”，是其一例。

一九一五年五月，日本以最后通牒，压迫中国签定“二十一条”之中日协约，不但破中国主权之独立，并危害中华民族之生存，所以我国国民始终认为事实上之压迫，不承认其有法律上之效力。当巴黎和会时，中国曾一度提请取消而无效；至华盛顿会议时，又再度提出之。在华盛顿会议里面，日本虽拒绝讨论，但后来有一宣言，将有碍列强机会均等之数条款，声明废弃；又该协约中之山东问题，已在华盛顿会议另案解决。于是该协约所存留者，乃为日本在南满东蒙以及汉冶萍公司之各项权利。日本在满东蒙，素来横行无忌，无约尚思寻衅，有约更可借口，而尤以南满铁路收回期限，与旅顺大连租借期限，均延长为九十九年，足为中国之大患。因为依照中俄原约，南满铁路至一九三二年得由中国收回，旅顺大连至一九二三年应即交还中国；而依照二十一条之中日协约，则分别展至二〇〇二年与一九九七年。一九二二年二月六日华盛顿会议闭幕以后，距一九二三年三月二十七日按照原约收回旅大之期为时甚近，中国若不在期前要求日本将旅大交还，则不啻承认二十一条之中日协约为有效，然中国若不先将该协约根本宣告无效，则手续上不能向日本有要求交还之举。故一九二三年初头，当时国会议员刘彦，张树森等，便在北京政府提议，废弃“二十一条”；当由国会通过，恣请北京政府查照办理。是年三月十日，北京外交部准据国会议决案，照会日本政府，除声叙“二十一条”之过去历史外，并称“兹本国国会，于一九二三年一月常会议决，对于一九一五年五月所缔结之中日协约，认为无效，准本国参议院咨请查照办理前来，足征本国民意始终一致，而旅大租期，又瞬将届满，本政府认为改良中日关系之时机，业已成熟，特向贵国政府重行声明，所有一九一五年五月所缔结之中日协约，除已经解决，及经贵国政府声明放弃各项外，应即全部废弃，并希指定日期，以便协商旅大接收办法，及关于一九一五年中日协约作废后之各项问题”。此自吾人视之，“二十一条”之声明废弃，与旅顺大连之要求交还，均为极正当极自然之事，惟以当时素来媚外惧外之北京政府，而亦有此决定，有此宣告，则终属难能可贵之举。当日本接到中国照会后，除日本报纸丑诋中国政府为胆大妄为，并由日本政府覆照不能承认外，究未尝如以前出以过分之胁迫。今后中国，既将“二十一条”正式宣告废弃，则关于南满东蒙等处之权利，在日本虽属强夺不放，而在中国则当然应继续诉之中国国家之力量，以谋事实上之解决而后已。

第五节　一九二四年的中俄协定

在世界大战以前，俄国对于中国之侵略，不让于英国与日本。一九一三年，俄国迫袁政府订立《中俄协约》，中国承认外蒙古之自治，而俄国对于外蒙古事件有干与之权。一九一六年世界大战期中，俄国与日本缔结日俄密约，意在对于中国全部为协同之分割。假使后来局面没有变化，则中国命运，直不知若何危险。幸而一九一七年三月，十一月，俄国迭起革命，帝俄统治，完全推翻，新的政府，代之而立，据新政府之宣言，其外交方针，一反乎帝俄侵略之故辙。凡以前帝俄政府与他国所缔结之条约，有带侵略性质者，一概废弃之。此与大战结束后，中国民众反抗帝国主义，要求自由平等之主张，正相吻合，于是今后中俄国交，便走到了一个新的时代。

一九一九年及一九二〇年，新俄政府发表两项对中国之宣言，声称俄国愿意废弃前此与中国缔结之不平等条约，及与第三者所订对于中国不利之协定，协约，及一切条约。并盼中国速与新俄政府另订新约，恢复国交。一九二三年，俄国得到中国的认可，便派代表加拉罕来北京交涉，中俄谈判，自此开始。至一九二四年五月三十一日，中俄协定始告成立，即定名为《中俄解决悬案大纲协定》者是。中俄新的关系，即于是日成立。兹将其中条款，录之如下：

一、本协定签字后，两缔约国之平日使领关系，应即恢复。中国政府，允设法将前俄使领馆舍，移交苏联政府。

二、两缔约国政府，允于本协定签字后一个月内，举行会议，按照后列各条之规定，商定一切悬案之详细办法，予以施行。此项详细办法，应从速完竣，但无论如何，至迟不得过自前项会议开始之日起六个月。

三、两缔约国政府，同意在前条所定会议中，将中国政府与前俄帝国政府所订立之一切公约，条约，协定，议定，及合同等项，概行废止，另本平等相互公平之原则，暨一九一九年与一九二〇年苏联政府各宣言之精神，重订条约协约协定等项。

四、苏联政府，根据其政策，及一九一九年与一九三〇年之宣言，声明前俄帝国政府与第三者所订立之一切条约协定等项，有妨碍中国主权及利益者，概属无效。缔约两国政府，声明嗣后无论何方政府，不订立有损害对方缔约国主权及利益之条约及协定。

五、苏联政府，承认外蒙属于完全中华民

国之一部分，及尊重在该领土内中国之主权。苏联政府声明一俟有关撤退苏联驻外蒙军队之问题，即撤兵期限及彼此边界安宁办法，在本协定第二条所订会议中商定，即将苏联政府一切军队，由外蒙尽数撤退。

六、两缔约国政府，互相担任，在各该国境内，不准有为图谋以暴力反对对方政府而成立之各种机关或团体之存在及举动，并允诺彼此不为与对方国公共秩序，社会组织，相反对之宣传。

七、两缔约国政府，允在本协定第二条所定会议中，彼此将疆界重行划定；在疆界未划定以前，允仍维持现有疆界。

八、两缔约国政府，允将两国边界江湖，及他种流域上之航行问题，按照平等相互之原则，在前条所定会议中规定之。

九、两缔约国政府，允在前条所定会议中，根据上开原则，将中东铁路问题解决。

（甲）两国政府声明，中东铁路纯系商务

性质，并声明除该路本身营业事务，直辖于该路外，所有关系中国国家及地方主权之各项事务，各司法民政军务警务市政税务地亩（除铁路自用地皮外）等，概由中国官府办理。

（乙）苏联政府，允诺中国以中国资本赎回中东铁路，及该路所属之一切财产，并允诺将该路一切股票，移归中国。

（丙）两国政府，允诺在协定第二条所定会议中，解决赎路之款项额及条件，暨移交中东铁路之手续。

（丁）苏联政府，担任对于中东铁路，在一九一七年三月九日革命以前，所有股东持债票者，及债权人，负一切完全责任。

（戊）两国政府，承认对于中东铁路之前途，只能由中俄两国取决，不许第三者干涉。

（己）两国政府，允在本条两项所规定各事未经解决以前，特行规定暂行管理中东路办法。

（庚）在协定第二条所定之会议，未将中

东铁路各项事宜解决以前，两国政府，根据一八九六年九月八日所订中俄合办东省铁路合同所有之权利，与本协定及暂行管理中东铁路办法，暨与中国主权不相抵触者，仍为有效。

十、苏联政府，允诺抛弃前俄政府在中国任何地方，根据各种公约，条约，协定等，所得之一切租界等等特权及特许。

十一、苏联政府，允诺抛弃俄国部分之庚子赔款。

十二、苏联政府，允诺取消治外法权及领事裁判权。

十三、两缔约国政府，允在本协定第二条所定之会议中，订立商约时，将两缔约国关税税则，采取平等相互主义，同时协定。

十四、两缔约国政府，允在前条所定之会议中，讨论赔偿损失之要求。

综观上述中俄协定，对于前此帝俄政府，根据不平等条约所获得之种种权利，中国于此得以明文收回，是为极可纪念之一点。从此以后，中国民众要求废除一切不平等条约的运动，益发不可遏抑了。各帝国主义仇视苏联亦与日俱增，自然不是偶然的事。

第六节 “五卅惨案”与反帝国主义

“五卅惨案”发生的真因，由于中国历年所受国际帝国主义者压迫的反感，而其发生的导火线，则为一九二五年五月的“顾正红案”。当时在上海的日本纱厂，因为工资过低，待遇过酷，发生工潮。是月十五日，工人推举代表顾正红等，与日本厂主交涉，厂主突放手枪将顾正红击毙，其余七人亦均受伤，工人方面乃向公共租界工部局请求检验。殊帝国主义者的工部局，不但不允检验，反以扰乱自安名义，将原告工人拘禁。当时上海各报馆，因曾受工部局之惩罚，不敢主张公道，援助工人，工人乃往求学生之援助。五月三十日，上海各校学生公祭顾正红，并向公共租界游行演讲，痛斥帝国主义者的罪恶。适其时工部局发表码头捐，印刷附律，及交易所条例，皆系侵害中国主权之举措，遂亦为学生演讲之资料。租界巡捕当捕学生多人，并加殴打；多数学生自愿一同被捕，尾随而行。至工部局门前时，因彼方早有布置，递由捕头英人爱弗生下令开枪，部下巡捕共发四十四响，当场击死七人，重伤十余人，遂为中国民众反帝国主义运动史上，首先涂上鲜红之一页。

惨案发生之后，上海全埠震骇起来，罢工罢市，相继实现。但在英人方面，不但无悔祸之心，并调集万国义勇队，及驻沪外舰水兵上陆，到处游行示威，宣布特别戒严。遇有华人演讲，概以武力击散。致在十余日内，上海重演惨剧，至九次之多；共击死我国手无寸铁之工人学生六十余人，重伤七十余人，轻伤不计其数。而上海市民，亦复再接再厉，并不以帝国主义者的威迫而停止其活动。至在上海以外，自惨案消息传播以后，举中国的全境，无不受其激动，其范围之广大，为“五四”以后所仅见，而深切且更过之。自广州以至于北京奉天，自上海以至于宜昌重庆，所有通都大邑，莫不奋兴着革命民众之脉搏。即在穷乡僻壤，也渐次跳跃着反帝国主义的宣传。因此，自五月三十日以后，中国各地续有对外流血之事，而以六月中汉口广州两次事变，为最重大。

六月十日，汉口英租界内小工运货，被英商太古公司雇员殴打。时在上海惨耗传来之后，群情倍形激昂。十一日，汉口码头工人全体罢工，而与各校学生联合，举行示威游行。当地英领事，即调集英国驻汉海军陆战队上岸，分布机关枪于租界，正式向群众轰击。同时停泊江中各英舰，亦发大炮助威。当被击死工人十三名，轻重伤者更不下百人，是为“汉口事变”。六月二十一日，香港华工团体，愤于上海汉口等处惨案，全体罢工；同时沙面租界内之华工，亦有总罢工之举。在粤英人，遂纷纷调动军队，以资准备。二十三日，广州农工商学军各界，在东校场开各界民众大会后，旋即游行示威；行经沙面西桥口时，英军步枪机关枪同时并发，历时至半小时之久。此次“广州事变”，中国民众惨死一百五十余人，受伤者约五百人。自上海“五卅惨案”发生以后，不及一月，汉口广州又接连发生两次这样的巨变，帝国主义者之与中国，殆已到了短兵相接的时候了。

是时中国内部，南北分立。北洋军阀政府极不争气，惟有南方革命政府能与民众共艰危。革命政府的政策，在扶助农工发展，打倒帝国主义，故与英人此等暴举，处于势不两立之地，因而担负全责，协同国民，对英国作殊死战。当时除一方面以政府之力量，长期维持香港罢工工人之生活外，同时并实行对香港经济绝交。英国货物，固然一律禁止入口，即香港澳门之交通，亦强制断绝年余之久。在此年余之间，英国对华输出，异常减少，对华航运，异常损失，而繁盛之香港，亦呈意外之衰颓。据日人调查报告，自南方革命政府与香港经济绝交以后，香港居民减少百分之四十，地价减少百分之七十，倒闭商号四百余家，损失四千万元以外，香港将来大有变为荒岛之虞。观此报告，可知当时英国受经济绝交损害之深，与南方革命政府反帝国主义运动之力。

不过彼时中国的大部分，如上海汉口等地，尚在北京政府统治之下。北京政府的外交官吏，素以媚外惧外著称。则“五卅惨案”交涉之失败，吾人可以预料。兹将北京政府交涉经过，志其大略于下。“五卅惨案”之发生，其对方于原来应该认定英国或英日两国，但北京政府却不敢对之做单独的交涉，而于六月二日提一笼统之抗议于北京公使团。此第一着，便已错误。英日两国恃有各国共同对付，共同负责之故，态度强硬，毫无忌惮，劝令公使团发出强硬之驳覆书。其后北京政府续提三次抗议，每次均遭驳覆，但称可由公使团派员，会同外交部派员赴沪调查，就地讲求良策而已。六月十六日，双方委员集会于上海交涉署，华方代表，提出下列最低限度的要求共十三条：（一）撤销非常戒备；（二）释放被捕华人，恢复被占学校；（三）惩凶；（四）赔偿；（五）道歉；（六）收回会审公廨；（七）罢工工人，仍照原职，不得扣薪；（八）优待工人；（九）工部局董事会及纳税代表会，由华人共同组织；（十）制止越界筑路；（十一）撤销印刷律，码头捐，及交易所领照案；（十二）华人在租界，有言论集会出版之自由；（十三）撤换工部局之总书记。以上所述，诚为中国对于此次惨案之最低要求，但使团委员声称，除前五条可以接受磋商外，后八条与此案不相干，完全不能接受，并于六月十八日径行离沪。同时北京公使团对此发表宣言，声明此次事件所以不能从速就地解决，全由中国委员提出不相干之条件，应由中国完全负责。盖其时上海多罢市一日，则华商多损失三百万元，多罢工一日，则多负工人生活费二三万元，甚难长久维持，为外人所深知，故特有意拖延，不与交涉，欲使上海工商两界，限于无条件的自动复业之境。其后上海商人，次第开市，十余万工人，以最低之条件复工，其故即在于此。所以这次“五卅惨案”发生以后，南方民众，因在革命政府领导之下，故能不为英国所屈服；而其他各地民众，则因在北京政府统治之下，对内既不能与人民协作，对外又畏缩昏聩不堪，故只有失败，而无可挽回。此中分野，最应注意。

第七节　回光返照的关税法权会议

关于“五卅惨案”事件，北京政府交涉完全失败，业如以上所述。但是当时民气，激昂达于极点，打倒帝国主义与废除不平等条约，成为全国一致的呼声，遂使北京政府亦不得不追随舆论之后，而于是年六月二十四日，向北京公使团提出修正不平等条约的照会。照会措辞，非常婉顺，非常软弱，其对于不平等条约之态度，只是提议修正，并非根本废除，当然为吾人所不满足。不过以一面对公使团奉命惟谨的北京政府，亦居然为此空前的提议，究竟出于帝国主义者的意外，而显示了革命舆论的权威。所以北京公使团接到上项照会后，筹商日久，甚难作复。适值是时北京政府财政困难，欲借“五卅惨案”发生后之民气，促开华盛顿会议条约中之中国关税特别会议，以增收二五附加税之款项，续于是年八月十八日照会北京公使团，邀请关系各国政府派员，准是年十月二十六日在北京开会，于是公使团便决定借此关税会议以移转中国民众的视听，表示关税问题，中国可在关税会议中，提出合理之议案；另一方面表示领事裁判权问题，各国即日派员组织委员会来中国调查，以实行华盛顿会议之决议；而即以此将北京政府修正不平等条约之要求，轻轻敷衍过去。嗣是北京政府对于修正条约亦不复提，而惟奔走于关税法权会议。

一九二五年十月二十六日，英美法意日荷比葡暨瑞典挪威，丹麦，西班牙等十二国代表，与北京政府开关税会议于北京，各国为缓和中国舆论，敷衍中国面目起见，于十一月十九日成立一决议案；在原则上，承认中国关税自主，但须中国政府声明，于实施关税自主之日，同时裁撤厘金。盖当时各国代表，深知北京政府决无裁撤厘金之能力，故乐于为此原则上之决议。致于讨论到中国在实施关税自主以前，加征附税并增高附税一节，此为各国实际利害之所在，则反对意见，层见迭出，而以英日两国代表为尤甚。计自一九二五年十月二十六日开会，以至一九二六年二三月间，毫无成议。一九二六年三月，北京发生“三·一八惨案”，北京政府旋起政变，关税会议，为之停顿。是年七月三日，各国代表忽然发出停止会议宣言，声称俟中国代表能正式出席，与外国代表复行讨论时，再行继续会议。其后北京政府虽亟亟改派代表，运动照前开会，然各国代表或借口归国，或借口他故，迄不应允，于是关税会议徒使北京政府忙乱一场，希望一番，终以毫无结果而散。

其次法权会议，以一九二六年一月十二日在北京开幕，其与会之国家，与关税会议同。会议开幕后，当由北京政府代表，将译成英法两国文字之中国法律，及其他有关司法条文，共二十三种，分送各国委员参考。委员会除分别研究此种法律条文外，又分若干组，出发各省区，视察法庭监狱，及司法制度之实行。然当时广东革命政府，主张外人在华之领事裁判权，应即时废止，无调查之必要，正式拒绝委员团前往，委员团乃仅视察汉口，上海，杭州，青岛，哈尔滨，天津各处而止。是年十一月，委员会根据华盛顿会议议决案之权限，作成一种法权报告书，及建议案，分呈本国政府审核。报告书分三编，将外国领事裁判权在中国施行之现状，及中国法律，司法制度，司法行政手续等，分别叙述，大致为不满于中国司法现状之语。至建议案共分四项，大致为对于外人超越不平等条约以外所侵占之法权，即超越领事裁判权范围以外之法权行使，如上海会审公廨之类，建议改善之；其华人托庇外国法权之下，或外人借法权免缴捐税之类，亦建议改善之；此外，则为对于中国要索许多的改良和保证。至于中国希望从速撤废领事裁判权之本身问题，不但未有明确之建议，且反使其距撤废之前途愈为辽远，则以其建议改良和保证之条件，可以任意伸缩，使外人随时皆得借口尚未臻于妥善之故。所以法权会议虽未中途停止进行，而其失败则与关税会议一样。

从以上所述看来，可知关税法权两种会议，皆系北洋军阀政府与帝国主义者互相利用的勾当；在前者的用意，无非想要实行加征附加税，至于后者，则在转移华人的视听，以缓和其感情。于是结果便是，前者斗不过后者，所有希望都失望了。不过一九二六年这一年，正是中国南方革命政府大举北伐的一年，所谓关税法权会议者也，无论就北洋军阀政府误国说，或就帝国主义者惯于欺弄中国说，都已到了一种落日孤城，回光返照的境地。

第八节　汉口，九江各地英租界的收回

中国国民党的对外政策，为打倒帝国主义的在华势力，但若同时以一敌八，在势必不可能；故自“五卅惨案”以后，即认定英人，集中攻击，以期突破帝国主义者的对华联合战线，而达到各个击破的目的，一九二六年七月以后，国民党的势力，从珠江流域发展到长江流域，侵入了所谓英国的势力范围，反英运动与中英冲突，皆随之而起。当时湘鄂赣三省，民气异常发扬，所有英国工厂，一概罢工，经济绝交，进行极盛，而英国教士与税关人员，概被驱逐出境。于是反英政策，顿时风靡长江。英国驻汉领事，眼见英国特殊地位，渐次发生动摇，便在租界满布电网及机关枪，冀得照旧实施高压。

一九二七年一月三日，汉口民众因举行庆祝会，在英租界附近演讲，忽与上陆戒备之英国水兵发生冲突，英国水兵，遽然使用武器，刺杀民众数人。一时民情愤激，集众至数十万，将谋严重之报复。英租界工部局人员逃匿，英领事无法办理，自愿撤退水兵，请国民政府派军警入租界维持秩序。国民政府乃设立汉口英租界临时管理委员会，实行主持租界一切公共市政事宜。民众愤怒，始告平息。同时九江民众听到汉口惨耗，即于一月六日游行示威，当地英租界水兵，亦向群众开枪射击，死伤数人，比由当地军警开入租界，维持秩序，一如汉口办法。于是英人在长江上游的商务，一概归于停顿。

自上项事件发生之后，驻在北京的英国公使便派参赞阿马利赴汉口，以全权代表名义，与国民政府正式交涉。而在阿马利出发以前，英国公使并曾向北京公使团提出一种对华新案，要求各国公使赞同，以期缓和中国的反英运动。提案内容，录之如次："英国对华政策，五年以前，即以促进中国的政治经济发展，并减少其侵犯主权与束缚为目的。故对于中国之税权与法权，深愿依华盛顿会议之决议解决之。然今日中国之现状，已大异于华盛顿会议之时期，即有一强盛之民族运动，相伴而起，其目的在谋中国之国际地位平等。此而不予同情及了解者，实与列强对于中国之真实志愿相抵触。故英国政府，深愿华盛顿会议各协约国，皆发布宣言，一方要求中国尊重条约之神圣，一方承认解放中国之正义。尤有进者，关税会议未能履行五年前各国所许中国增加之附税，以致恶感殊深，故英国政府，以为各国应立时一致无条件承认中国在华盛顿会议所许得之附加税。至其用途，提供于整理外债之条件，英国始终反对之，以为在承认中国关税自主之下，而扩张外人关税保管权，实滋疑惑，且欲行之于一九二一年者，在今日已成不可能之事。故关于附加税之存储与支配问题，应由中国自行解决之。”先是关税会议停开后，中国完全失败，北京政府，无之如何，已如前节所述，反之广州政府，则自动的照会各国领事，凡国民政府所辖之区，一切外货进口，普通品征二点五附加税，奢侈品征五厘附加税，各国虽以违反条约为辞，共同抗议，然国民政府强硬执行，毫不之顾。及后占领长江流域，亦复照此办理，外商莫敢不遵。英人深恐国民政府将不平等条约一概推翻，故有上项之提议，意在约请各国出面，一方共同迫令中国尊重条约之神圣，而一方无条件承认华盛顿会议的附加税，以示纠正国民政府自由加税之行为。所谓对华新案，真相如是而已。

至关于英参赞阿马利赴汉口交涉一节，自一月十二日起，与国民政府外交部长陈友仁正式磋商，阿马利要求将租界交还英国，为陈友仁断然拒绝。后来议定由中国收回，改设特别区，即照中国收回德俄两国租界之例办理。英参赞无异议，协定本可签字，忽因英国派大军赴上海，陈友仁认为有压迫性质声明军队不撤回则决不签字。其时英国工党，反对本国政府对华出兵，要求撤回，并直接电请陈友仁继续谈判，而英总理张伯伦亦特出席国会，声明英国出兵，全为保护侨民，并无其他目的，并令地中海舰队，开驻香港而止。于是关于汉口与九江之英租界协定，于一九二七年二月十九日正式签字。兹将该项协定，分别录之如下：

《汉口英租界协定》：

英国当局，按土地章程，召集纳税人年会，

于三月十五日开会，届时英国市政机关，即行解散，而租界区域内之行政事宜，由华人之新市政机关接收办理。

在华人之新市政机关，于三月十五接收前，租界内之警察工务及卫生事宜，由主管之中国当局办理，英国工部局一经解散，国民政府即当依据现有特别区市政办理，组织一特别中国市政机关，按照章程，管理租界区域，此项章程，将由国民政府外交部长通知英国公使，在汉口五租界合并为一区域之办法未经磋商以前，此项章程继续有效。

《九江英租界协定》：

关于汉口租界所订之协定，即时同样适用于九江租界。

在最近九江之骚扰中，英国侨民若受有直接损失，凡系出自国民政府官吏之行动，或由其重大之疏忽者，国民政府担负赔偿。

自是汉口，九江之英国租界，由国民政府正式收回，而关于九江之赔偿，由陈友仁交付四万元于阿马利了案。当时革命的民众一面打倒北洋军阀，肃清长江上游，一面即以战胜之势，方新之机，向英国强制收回汉口，九江各租界，绝不迟疑，绝不妥协，允为中国历年失败之外交，收到一次空前之胜利。

第七章　国民革命胜利后的中国外交

第一节　“济南惨案”

一九二七年四月，国民政府定都南京后，随即派遣军队，继续北伐，沿津浦铁路，向黄河流域进击。津浦线上的重镇，如蚌埠徐州等，先后攻下，再进便是山东省境，而到了所谓日本帝国主义者的势力范围，中国外交上的重大纠纷，遂自英国移向日本。

自一九二二年二月华盛顿会议成立中日《山东条约》以后，日本强不得不把胶济铁路和胶州湾租借地等交还中国，但是他对于山东的一切权利，实际上还是不肯放松。因此，他必得勾结或豢养一二中国军阀，以便为所利用，以便乘机侵略，所以自革命势力到达山东近郊的时候，日本政府居然以保护侨民的名义，悍然出兵山东。一面固要照旧保全他的工具，同时国内田中义一内阁，久受敌党攻击，正要设法造出一件外交重案，以转移国内攻击的目标，五月三日“济南惨案”，遂演成了。

舰踞山东之直鲁军阀，自经革命二次猛攻后，损失极大，节节退守，衮州泰安各地，先后为革命军所占有。一九二八年四月三十日，直鲁残部渡河北遁，革命军遂于是晚占领济南。五月一二两日，各路大军云集。二日深夜，战地政务委员会全部到济，三日清晨开会讨论之后，分别派员接收济南各机关，并限于当日午后接收竣事，而不料大祸即于午前猝发。五月三日午前十时左右，济南商埠三马路纬一路日商隆昌洋行附近，有一日本人与中国士兵因言语不通而误会，因误会而冲突，该日人遽往驻在二马路之日本兵营报告，引导日兵至发生冲突之处，立开机关枪向华人轰击，此外并有日兵一大队，寻至该士兵所属之兵营，欲缴全营枪械，中国军队当即起而对抗，中日军队冲突，遂在日本预定计划之下开幕。

冲突开始以后，日军自由行动，种种残暴行为，无所不用其极。济南军民惨死甚多，而战地政务委员会外交处主任，兼特派山东交涉员蔡公时之被残杀，尤开外交史上空前之恶列！当时中国军事当局，于六日派人往日本总领事署商量善后办法，并承认于济南城外日人居住区内不驻兵；日兵防线内中国人不通过；商埠治安完全由日兵负责维持：这原是中国方面极端的让步。不料日人为贯彻其预定阴谋计，复于七日下午由日本第六师团长福田彦助，向中国军事当局提出条件，要求惩办有关本事件的高级干部；解除有关本事件的军队武装；停止排日宣传；撤退济南城内及胶济铁路沿路两旁二十华里以内的中国军队；并限于十二小时以内明白答复。八日清晨，日军以答复不满足，采取断然行动，正式发炮攻城，嗣后三日之内，损害不堪缕述。十日深夜，中国军队开新东门出城退走，济南乃全归日本暴力占领。

“济南事变”发生，津浦交通中断，国民革命军乃不得不改变战略，从济南以西迂回渡河；与自京汉铁路前进的北伐军一部会合。五月中旬以后，迭克直隶省（今河北省）各要地，六月初，正式占领北京（后改北平）及天津，北洋军阀政府完全塌台，然而回顾“济南惨案”，则到一九二八年底，尚未获得解决。

当“济南惨案”初发生时，中日之间曾有数次交涉，中国民众以此次物质上主权上损害巨大，悲愤万分，迭次警告外交当局，先撤日军再开谈判，至少亦须无条件撤兵，而日本则毫无悔祸之意，对于撤兵提出多种要挟，以致几次往还，均无结果。直至一九二九年一月以后，日本因为国内政潮关系，有一部分人倡议“山东撤兵”，然后中日外交，才有接近之势。一月二十三日，芳泽到南京，至二月四日，双方意见交换完竣，议定解决济案四条，其中大意如次：（一）在鲁日军，无条件撤退；至撤退日期，在正式决定此项原则之正式会议中决定之。（二）“济案”责任，由中日合组之调查委员会，于日军撤退后，进行调查，再行决定，并查明损失。（三）赔偿以平等相同为原则，如日人与华人之生命，其价格相同，不能有高下，损失多者应照额计算。（四）日方对于蔡公时之被杀，以为不知其系外交官，于混乱中有此错误，允由日政府道歉，但以原谅勿再提要求为条件。就以上的协定章案看来，中国方面绝未得到胜利，而是一种迁就的让步的解决；却不料草案内容传至东京以后，田中内阁因为国内政潮颇有解决把握，竟训令芳泽不能签字，须得从新磋商。中国外交当局力表反对，于是交涉复归停顿。

自上项草案推翻以后，交涉停顿，忽忽一月，直至三月初间以后，双方继续进行。三月二十四日，交涉形势，进展甚速，二十八日，双方将解决“济案”的关系文件正式签字，于是中国历史上一幕伤心惨目的悲剧，便算是这样的了结！综计此次解决济案的要点，共有四端：（一）自解决本案文件互换签字之日起，两个月内，日本撤退山东驻军。（二）撤兵后的接收办法，双方各派委员就地办理。（三）济南不幸事件，认为既往不咎，互相不课其责任。（四）组织共同调查委员会，从新调查双方损失。以上几个要点，都散见于这次正式签定的互换照会及声明书议定书中。

这次议定的办法，中国方面真是委曲求全之至：第一，在上次（二月四日）协定草案中，日本是无条件撤兵，这次却要戴上一顶“国民政府以全责保障在华日侨生命财产上安全”的帽子。第二，在上次协定草案中，曾规定着赔偿以同价格为原则，后来因为华人死亡什百倍于日人，日本觉得太不合算所以这次文件中就全不提赔偿字样，仅称将来设立共同调查委员会，实地调查双方损害。而且所谓实地调查也者，在事隔一年，日人已将证据消灭净尽之后，还能调查什么呢！第三，关于“济案”责任，在上次协定草案中，规定由中日合组调查委员会，事后调查，再行决定，我们已感不满，这次则更搁在一边，干脆置之不问！第四，关于外交专员蔡公时被杀事，在上次协定草案中，尚规定有允由日政府以误杀道歉，而这次则完全不曾提起，尤令人不胜其遗憾！

第二节　改订新约运动

一九二八年六月国民政府正式发表对外宣言，在此宣言里面，一方面宣布中华民国敦睦友邦之意旨，一方面即声明国民政府办理外交之方针，拟即于东西友邦，采用正当手续，实为重订约章。

上述对外宣言发表以后，国民政府外交部，又于是年七月七日，发表关于不平等条约的宣言，并制定一项旧约已废，新约未订前适用的临时办法，通告关系各国，兹据原文，录之如次：（甲）国民政府外交部关于不平条约宣言："国民政府为适合现代情势，增进国际友谊及幸福起见，对于一切不平等条约之废除，及双方平等互尊主权新约之重订，久已视为当务之急，此种意志，迭经宣言在案。现在统一告成，国民政府对于所述意旨，应即力求贯彻，除继续依法保护在华外侨生命财产外，对于一切不平等条约，特作下列之宣言：（一）中华民国与各国间条约之已满期者，当然废除，另订新约。（二）其尚未满期者，国民政府应即以正当之手续，解除而重订之。（三）其旧约业已期满，而新约尚未订定，应由国民政府另订适当临时办法，处理一切，特此宣言。"（乙）中华民国与各外国旧约已废，新约未订前适用之临时办法："第一条，本办法各条所称外国及外人，专指旧约业已废止而新约尚未订立之各外国及其所属人民。第二条，对于外国驻华外交官领事官，应予以国际公法应有之待遇。第三条，在华外人之生命及财产，应受中国法律之保护。第四条，在华外人，应受中国法律之支配，及中国法院之管辖。第五条，由外国或外国人民输入中国，以及中国向外国输出货物所应征之关税，在国定税未实行以前，照现行章程办理。第六条，凡华人应纳之税捐，在华外人应一律照章缴纳。第七条，凡未经上列各条规定之事项，应依照国际公法及中国法律处理之。”自此以后，国民政府之外交，乃集中于改订新约运动，综计二年以来，成立新约凡十余种，其中最主要的规定，大多数为关于关税自主及撤销领事裁判权，兹分两节述之于后。

第三节　关税自主的内容

关于关税自主，中国争之已久。一九二五年至一九二六年，英美等十二国代表与前北京政府开关税会议，虽勉强通过了中国关税自主的原则，但对于加征百分之五至百分之三十的附税，即所谓过渡的差等税率，多方留难，不肯承认，终于闹得没有结果而散。其后南方革命政府，虽在所辖地方，自动征收二点五及五厘附加税，但亦未得各国正式承认。及至一九二八年六月后，国民政府乃对关系各国政府进行正式之谈判。

与中国关税自主问题有关者，共有英美法意日荷比葡暨瑞典，挪威，丹麦，西班牙等十二个国家。其中日比丹葡西意六国，算至一九二八年，条约已经满期，国民政府外交部即根据是年七月七日宣言，概予作废，照会对方，蹉商新约。至其他六国，虽未满期，亦同时与之接洽，俾一致尊重中国关税的自主权。一九二八年七月二十五日，中美关税新约首先成立。自中美新约成立后，各国态度，咸受相当影响，次第承认中国关税自主。至一九二八年年底，即国民政府预定公布海关进口新税则时，上述十二国，除日本多方狡赖外（日本延至一九三〇年五月六日始与中国缔结新的关税协定），悉与中国结有关税完全自主之约。兹就上述十一种新约中，提出中英关税条约为例，以考究其内容。

中英关税条约，系一九二八年十二月二十日在南京所订，本身条文四条，另有附件四则，兹先将本文照录如下：

一、兹约定两缔约国现行条约内，所有限制中国任意订定关税之各条款，一律取消，适用关税完全自主之原则。

二、两缔约国人民，在中国或本约适用之英国各境内，运入或运出货物，不得有何借口，使其完纳之关税内地税或其他税项，异于或较高于各本国或其他各国人民，自同一产地所运货物完纳之税款。

三、两缔约国现行条约内，所有限制中国任意自定船钞权之各条款，英国承认一律取消，关于船钞及与船钞有关系之一切事项，所有在中国境内之英国船只，及在本约适用之英国各境内中国船只，其所受待遇不得次于任何他国船只所享之待遇。

四、本约自两国互相通知批准之日起，发生效力。

以上条约本文四条，除第四条规定本约发生效力之日期外，第一条规定关税自主，第二第三两条规定国际法上通行之最惠国待遇，大致可不置议，但是我们若进而推敲其附件，则不免令人失望。因为在那四则附件当中，除关于最惠国待遇之引申，及一并废止陆路进出口货物优待税率外，实有两点于我不利：第一，在附件中，我方曾依英国要求，声明实践裁厘宣言之意，未免仍蹈附有条件的故辙；但此尚非最要。第二，关于国定税率之规定，我国外交部在附件中，曾有如次之复照声明："为照复事，接准贵公使本日照会，以在国民政府采用之国定海关税则中，所有按值征收或根据该税则之特定税率，与一九二六年关税会议所讨论，及暂时议定税率，系属相同，而为对于英国货物所课最高之税率，且此项税率，从该税则实行之日起，至少于一年内应继续为该项货物之最高税率，该税则实行须于两月前通知等由，本部长认为贵公使之见解并无错误。"像这样一来，于是中国关税表面上虽则自主，实际上仍旧要受列强的限制，而所谓国定海关新税则者，更不过一九二六年北京关税会议里面过渡的差等税率的另一名称罢了！这与真正关税自主的精神相差多远呢？不过有可引为万一之幸者则是此等差等税率，其适用之时效，仅以一年为期，过此一年以后，国民政府自可重新改订，以期达到完全自主之地位。而且较之以前完全遥遥无期者，要属此胜于彼。（根据以上中国与英国及其他十国所订关税新结果，中国即自一九二九年二月一日起实行初步的关税自主。）

第四节　撤销领事裁判权的宣告

中国要求撤销领事裁判权，其经过之长久，略同于运动关税自主。而其迭无效果，亦正相类，一九二六年一月至十一月，英美等十二国曾与前北京政府有法权会议之事，其结果做成了一项不利于我的法权报告书，连同一项任意借口的建议案，中国撤销领事裁判权的愿望，依然不曾达到。

与领事裁判权问题有关者，共有英美法意日荷比葡暨瑞典，挪威，丹麦，西班牙以至秘鲁，巴西，墨西哥等十五国。在这十五国中，日比丹葡西意六国条约，算至一九二八年期满，当由国民政府外交部长根据是年七月七日宣言，通告对方作废。计自是年十一月二十二日起，至十二月二十七日止，除日本外，所有旧约作废，各国悉与中国订立新约。此种新约规定，一方为承认中国关税自主，一方则为放弃在华领事裁判权。兹将其中的中比友好通商新约一种，作为具体说明之例。

中比友好通商新约，系一九二八年十一月二十二日成立，计有本文五条，附件五则。其本文第一第三第四第五各条，为关于关税自主及其他之规定，其第二条乃为撤销领事裁判权之条文，录其文句如次："此缔约国人民，在彼缔约国领土内，应受彼缔约国的法律及法院之管辖。"观此一条文句，虽无放弃领事裁判权之明文，但规定受所在国法律及法院之管辖，于理亦无可议。惟一究其附件，则与中英关税条约一样，不免令人失望。因为在那五则附件中，至少有两点是于我不利的：第一，在附件中中国曾发出如下的照会："为照会事，本部长兹以中华民国国民政府名义声明，中比两国本日签订之条约，其第二条于民国十九年（一九三〇年）一月一日起发生效力，在是日前，中国政府与比国政府，订定中国对比国人民行使法权之详细办法，如该办法届时尚未订定，比国人民应于现有领事裁判权之国半数以上承认放弃是项特权时，受中国法律及法院之管辖，相应照会贵代办查照可也。"照这样看来，当使人感觉到比国既已撤销领事裁判权，何以又要另订什么详细办法？

该项详细办法急切不能订好，何以又要等到现有领事裁判权之半数以上承认放弃是项特权时，始受中国法律及法院之管辖？此不仅表示比国未有诚意放弃领事裁判权，而且显见得又落了从前各国对华的互相推诿，互相延宕的故套。其去领事裁判权的真切撤销，相距抑何辽远。第二，在那些附件中，中国还是这样的声明书："本部长兹以中华民国国民政府名义声明，比国人民在中国停止享受领事裁判权，并两国之关系达于完全平等地位之后，中国政府监于中国人民，得在比国及卢森堡国领土之任何区域内居住营商及享有土地权，故允许比国与卢森堡人民在中国享有同样权利，但仍得以法律或章程限制之。"就原则说，开放全国，是现代文明国的通例，原亦未可厚非，不过说到中国国情，最要紧的是顾及目前的事实。因为现时中国内地的经济资本，与智识能力各种情形，都有不容外力深入的弱点，今一旦允许外侨在内地任意居住营商并享有土地权，则竞争的结果，中国当然不敌，此于国计民生，实为非常危险。从以上两点看来，可知中比新约，虽在条约正文中撤销领事裁判权，而在附件中则受有多种之限制，给付重大之代价，未可遽抱乐观态度。

日比丹葡西意六国有关领事裁判权的条约，皆于一九二八年满期废止，其比丹葡西意五国，并已于同年与中国订立放弃领事裁判权的新约，大致均如上述。嗣至一九二九年，瑞典，秘鲁，墨西哥三国条约亦告满期，中国当即通知废止，就中墨西哥一国，并于是年十一月，正式声明取消此项特权。于是与中国尚保有领事裁判权关系者，只有英法美荷挪巴等六国。自一九二九年四月二十七日以后，国民政府外交部迭发照会分致六国，声请解除此项特权，迄无满足之答复，直至是年年底，始勉强得到六国谅解，即六国政府承认中国撤销领事裁判权之原则，而关于撤废后如何实施之办法，则须彼此协商定之，是年十二月二十八日，国民政府为此发布特令如下：

查凡属统治权完整之国家，其侨居该国之外国人民，应与本国人民同样受该国法律之支配，及司法机关之管辖，此系国家固有之要素，亦为国际公法确定不易之原则。中国自受领事裁判权束缚以来，已届八十余年，国家法权，不能及于外人，其弊害之深，无容赘述。领事裁判权一日不能废除，即中国统治一日不能完整。兹为恢复吾固有之法权起见，定自民国十九年（一九三〇年）一月一日起，凡侨居中国之外国人民，现时享有领事裁判权者，应一律遵守中国中央政府及地方政府依法颁布之法令规章，着行政院司法院，转令主管机关，从速拟具实施办法，送交立法院审议，以便公布施行，特令。

八十余年来列强在华的领事裁判权，得自一九三〇年一月一日起正式宣告废止，不可谓非中国对外一件大事。不过关于废止后的实施办法。至今尚在协商未定之中。

第五节　中俄冲突及其初步的解决

中俄两国，自从一九二四年在相互平等之精神，订立协定以后，一时国交恢复，原属情势甚佳。不幸该协定第二条所载之中俄解决悬案会议，虽于一九二五年八月一度开幕，却因种种问题，双方意见不洽，竟至不欢而散。一九二六年夏季，北京发生搜查俄使馆案，莫斯科政府当将驻华俄使撤回，以示抗议，一九二七年冬间，广州暴动，国民政府下令对于各省苏联领事，一律撤销承认，对于苏联国营商业机关，一律强制停业，于是中俄邦交，大致入于决绝之境，不过自一九二六及一九二七年后，中国前北京政府及国民政府虽先后表示对于苏联绝交，苏联虽亦撤回驻华大使，惟中国驻俄代办及领事，则并未召回，而东三省各地俄领，亦并未离职。故中俄关系，实在若断若续之际，而最近中俄冲突，即在东三省境内发生。

一九二九年五月二十七日，东三省特区警察管理处派军警检查哈埠俄领事馆。七月十日，东三省当局便以紧急措置，收回东路电务处，及东路管理局。“东路事件”发生后，俄方于七月十三日通牒抗议，中国当即通牒驳回，七月十八日，苏联即提出最后通牒，七月下旬，哈埠交涉员蔡运升与俄领梅立尼哥夫原有一度会商，但是未有结果。八月初旬，苏联军事行动开始。自此以后，边境冲突，层出不穷，直达四月之久；中间虽经德国外长出任调停，由驻在德国的中俄代表试行谈判，但亦未有成效，而满洲里札兰诺尔等要地，先后皆为俄军攻下，最后十一月底至十二月初，中国方面因为一则要地失陷，边疆危急；二则日在南满，蠢蠢思动；三则国内战事，尚未完结，只得任命蔡运升为代表，俾与俄国代表司曼诺夫斯基交涉。

一九二九年十二月十六日，中俄预备会议在俄境伯力开幕。该项会议记录由蔡运升与司曼诺夫斯基在伯力签署，兹将会议录中所载十条，依次录之如下：

一、苏联政府所提之先决条件，全依十一月二十七日李维诺夫电报，及十二月三日双城子议定书，即根据中俄与奉俄两协定回复争执以前原状，至中俄共同管理东路时期所发生一切悬案，悉俟今后中俄会议解决，双方对此均表同意，因此应将下列办法，立即施行：（甲）根据以前协定，恢复东路理事会，苏俄人员复职，嗣后华理事长与俄副事长，必须遵照《奉俄协定》第六条，一切会同办理。(乙)恢复以前中俄人员任用比率，各处课俄员复职，如俄方建议另用新人，立即任用。(丙)七月十日以后理事会及局长处长所发命令，非经合法理事会及局长处长加以正常承认，不能有效。

二、一九二九年五月一日以后关于本案中国当道所拘苏俄人民，立即不分类别，一律释放，无所除外，即同年五月二十七日搜查哈埠俄领事馆所拘俄人，亦包括在内。苏联政府亦将关于本案所拘华人，立即一体释放，无所除外，并连所俘中国军官士兵在内。

三、一九二九年七月十日以后，东路俄籍工人职员之解职或辞职者，立即予以回复原职之权利与机会，发给所欠薪金。其有未能复职者，必须立即发还所欠全额薪金，及应得养老金，遇有缺额，仅能由东路合法理事会与局长处长所发命令补充。所有争执时雇用之非苏联国籍俄人，必须立即一体解雇。

四、中国当道立即解散白俄护路队，将其倡议者与组织者逐出东三省境外。

五、中俄两国之恢复完全外交关系，互遣使领问题，留待中俄会议解决。惟双方俱认东三省境内苏联领事馆，与苏联远东境内中国领事馆，有立即恢复之可能与必要，并彼此保证两国境内对方领事馆，享有国际公法与国际礼仪上所应得之一切特权，及完全不受侵犯之权利。

六、双方恢复领事后，对于此次争执前东三省境内原有各苏联商业机关，立予回复营业之机会。苏联境内华侨所营商业，因此次争执而停闭者，亦予以同样回复之机会。至两国全部商务关系，俟中俄会议中解决。

七、遵守协定与维护双方利益之切实保障问题，俟正式会议中解决。

八、整理一切悬案之中俄会议，定于一九三〇年一月二十五日在莫斯科举行。

九、双方撤退军队，立即恢复两国边境和

平状态。

十、本议定书自签字日起发生效力。

自伯力记录签署后，两国边境恢复和平状态，中俄冲突得到初步解决，但是记录签字即生效力，不待政府最后批准，为国际惯例所不许。因此国民政府外交部为事后救济计，一面将蔡运升等免职查办，一面于一九三〇年二月八日发表俄事宣言。在此项宣言中，虽未明言伯力记录无效，但确切声明蔡运升的签字，实属超越权限，并称国民政府为谋东路问题之最后解决起见，准备选派代表前往莫斯科，出席正式会议。

第六节　中英威海卫交涉

一九三〇年，为国民政府外交部预定收回租界及租地的一年，但是截至一九三〇年六月为止，其较重要的表现，还只有四月十八日签订的中英交收威海卫的专约及协定一种。兹将关于此事交涉，述其大概如下。

英国租借威海卫，事在一八九八年，以二十五年计之，至一九二三年即届期满。一九二一年至一九二二年华盛顿会议时代，英国虽有可以交还表示，但因提出多种条件，一时未获开议。一九二三年五月与一九二四年十月，前北京政府曾两度派员与英国商议，并已订立草案，但因北京政变频仍，英复多方延宕，迄未正式签字。一九二八年国民政府统一全国，以废除不平等条约相号召，便由外交部重与英使交涉。英公使馆对于交还原则，虽不能有异辞，但主张根据一九二四年在北京议定的草案，履行签字手续。外交部以该项草案，成立在北洋军阀政府时代，极多屈从英人之处，非加更改不可。因此双方争执，交涉搁置甚久，直至一九三〇年二月，双方始将草案议定，分为专约与协定两部分，而于同年四月十八日正式签字。兹将该两部分要点，分录于次：

《中英交收威海卫专约》：

一、英国兹将威海卫地域，即一八九九年至一九〇一年划界委员会所立界石内，所有威海卫全湾沿岸十英里地方，及刘公岛，与威海卫湾内之群岛；交还中华民国。因之一八九八年七月一日所订租借威海卫专条，即行取消。所有英国在威海卫及刘公岛两处驻兵，概自本专约发生效力之日起，一个月内撤退。

二、英国政府，允将英国威海卫行政公署所有之一切档案，登记簿，契约，及其他文卷等项，凡为接收及与中国政府将来管理威海卫有关者，一律移交中国国民政府。

三、英国政府，允将英国在威海卫区内所有官产地亩，房屋，码头，医院，以及烟台威海卫间海底电线等，全数无偿移交中国国民政府。

四、英国政府，允将刘公岛上中国政府原有官产地亩，及地上房屋，暨英政府后购之地亩，交还中国政府，并将租出地亩之租契及租地上将来期满应收归官有房屋之产业权利，一并移交中国国民政府。

五、本专约所开移交威海卫地域之公产，并其他应行移交等件，应于本专约发生效力之日实行。

六、中国国民政府于接收威海卫地域之行政后，当在可能范围内，维持现行规章，包括地产房屋税则卫生建筑章程以及警政等项。

七、凡从威海卫英公署所发给外人依照法定格式之地亩契据，应换给中国永租契据，每亩纳登记费一元。凡从前威海卫公署所发给之租契，中国国民政府认为有效，如中国国民政府决定关闭威海卫口岸，不准外人居住通商，以便完全作为海军根据地时，中国政府允以中英两国政府同意之公平价格，偿付外人业主及租户，收回其产业利益，此项价格应由两国政府派员组织一联合委员会，逐件议定之。

八、中国国民政府在决定将威海卫口岸关闭，并完全保留作为海军根据地以前，将维持该口岸为国际通商居住区域，该区域包括现在所有外国业主及租户所在地在内。

九、在中国地方自治制度未经制定通行以前，中国地方官厅，凡关于市政事件，与居住威海卫外侨之幸福及利益有直接关系者，将征求该外国侨民之意见。

十、中国国民政府，在决定将威海卫口岸关闭，并完全保留作为海军根据地以前，当将该区域内房地数处，无偿租与英国政府，为英国领事馆及居留人民公益之用，以三十年为期，期满后仍得继续租借。

《中英交收威海卫协定》：

一、中国国民政府，允将威海卫湾之刘公岛内房屋数所及便利数项，借与英国政府，作为英国海军消夏养疴之用，以十年为期，期满后两国政府同意，得适用原条件，或适用其他经两国政府同意议定三条件续借，借期终止时，所有地亩房屋等，一并归还国民政府。

二、每年由四月初至十月末之间，准英国军舰赴刘公岛海面，在英国海军所浚深抛锚处抛锚，惟须先尽中国海军使用。遇有战事发生，牵及英国或中国时，英国军舰须即按照国际惯例，完全退出。

三、英国海军得享由刘公岛抛锚处所拖靶至外海操练之利益，惟对于渔人纲罟，须加注意，以免损害。

四、在本协定第一条，英政府借用刘公岛房屋及便利时期内，英国海军经中国官厅接到其每年请求即予照准后，得享在刘公岛登岸操演打靶之利益，惟遇地方不靖，经地方官通知后，得暂停止登岸操演。

五、所有英国海军需用各项物品，在威海卫输入存储装卸转运，得按照通商口岸惯例允许之。英国政府声明，不在刘公岛存储枪械军火。

综观以上专约一至五各点的规定，中国幸能将威海卫租借地正式收回，值得吾人庆幸；不过依同约六至十各点的规定，则英国在实际上，多予中国以限制，并由他保留得不少的特权。而尤以第七点规定外侨私人地亩有永租权，及为第十点规定英国政府租借公用房地，以三十年为期，期满仍得继续租借，为足令人注意。至于上述协定五点，全为英国续租刘公岛的规定，尤其可以显出英国人避名取实的厉害：英国虽依专约规定，交还威海卫，但同时依协定的规定的补充，仍得续租刘公岛，以十年为期。十年期满，并可续借。在此十年当中，每年由四月初至十月末，准英国军舰赴刘公岛海面抛锚；准英国海军至刘公岛外海操练；而且还准英国海军在刘公岛登岸演习打靶。试问这种种的规定，不是仍旧让英国势力控制和利用着威海卫么？不过最后，我们有一点还算勉强可以自慰的，便是英国虽在威海卫保有多种特权，虽有续借刘公岛的规定，但是中国自己若果要将威海卫作为军港，却可将上述各种特权，连同刘公岛在内，一概收回来，这也是专约上同时规定着的。所以为亡羊补牢计，我国应于该项专约及协定批准后，立即筹设军港才好。何况威海卫那个地方，原是一个天然形成的良港，现在我国既然收回该地，即使不为抵制英国起见，也当立即从事于军港的筹设，方足以确立海军根据地，而巩固中国的国防呵！

第八章　世界经济危机中的中国外交

第一节　“万宝山事件”

日帝国主义对华侵略本是传统不变的政策。关于此政策之运用，自然要看国际环境与中国民众对日态度而决定其步骤。在国际间维持均势的局面之下，在中国民众顽强抵抗的条件之下，日本就运用缓进政策，华盛顿会议的前后，便是如此。如果国际间均势破坏，如果中国民众运动消沉，那么，日本就老实不客气，想一口把中国吞下去，欧战期间便是如此。

一九二九年世界经济危机发生以来，欧美各国卷入危机的洪流中，自救不暇，远东局面可让日本自由支配。而此时又正是中国民众运动比较寂静期间。于是日帝国主义的外交政策，就不得不向中国采取进攻。“万宝山事件”便必然的爆发了。这是“九·一八事变”的信号，这是各帝国主义利用日本发难，乘机瓜分中国的导火线。

“万宝山事件”的起因是如此：长春稻田公司经理郝永德，天津人，于一九三一年四月十六日租得长春县乡三区万宝山地方之萧翰林等十二人之土地五百垧，租期十年，在契约内订明“此契约于县政府批准日发生效力，如县政府不准，仍作无效”等语。此项契约未经长春县政府批准。郝永德以承租的前项土地转租朝鲜人李昇壎等九人耕种，亦以十年为期。不料在契约未发生效力之时，朝鲜人竟在该处挖掘水道，沿途占用民地长约二十余里。挖出之土，堆置两旁作为堤坝，宽约七八丈。地方农民，利害切身，当然反对，于六月三日驱逐挖掘水道的朝鲜人。次日，日本续派朝鲜人百名赴该地工作，一面派警保护，遂成对峙之势。交涉延至六月底依然无效。

七月二日，反抗朝鲜人筑堰后援会集合农工四五百人，实行填壕。日警开枪攻击，死伤数十人，被捕村民，又受严刑拷打。长春日领馆当日闻讯，特派武装日警三十名赴各村继续捕人，搜缴农民自卫枪弹。日本领馆即开军事会议，决定继续出兵，采断然处置，以最大之武力压迫华农。万宝山完全落到日本军警控制之下。村民多迁避，未逃者白昼闭户不能出外，顿成恐怖之境。我国官厅对于这种暴行，一以镇静处之。除空言抗议外，毫无办法。日本币原外相竟发出训令，声称“难保不再发生昭和二年之不祥事件”（指“五三济南惨案”言），气势汹汹。同时向世界作扩大的反动宣传，尤以朝鲜各地为最烈，引起朝鲜人大杀华侨之惨剧。仁川，汉城，平壤，从七月三日起，华侨继续不断的遭意外之屠杀，死者达数百人。华侨九万余人之财产完全化为乌有。我国外交部于七月七日向日本驻华代办重光葵提出抗议，要求日本政府制止朝鲜人暴动，关于赔偿道歉保障将来等项保留将来交涉。日本复牒则谓：“此项不祥事件，系万宝山案而起，日政府不能负国际法上之赔偿责任”等语。换句话说，朝鲜的华侨是白死的。

第二节　“九·一八事变”

日帝国主义整个对华政策，在吞并朝鲜之后，其处心积虑在于占领满洲。一有机会可乘，即资为口实以遂其鲸吞蚕食之大欲。这次“九·一八事变”，本系借中村事件而起。所谓中村事件，只不过是一个微乎其微的问题。中村是日本大尉阶级的军人，由日本参谋部派往满蒙调查地理，进至僻地而告失踪。据长春通信：中村变装华服，前往洮南一带，实行秘密调查，日往来于深山长林之中，一日遇胡匪三十余名，以其身穿华服，疑为军警侦探，遂致失踪。他是潜往中国内地调查，预备作侵略计划的，其失踪与否？我国当然不能负责。即或被胡匪杀害，亦属咎由自取。而蓄意占领满洲的日帝国主义，陷于经济危机的漩涡中，想在中国身上谋出路，以实现“剜肉医疮”之毒计，便借中村事件，向东三省当局压迫，征集大军。复诬称南满铁路被华军毁掘，调兵袭击。于一九三一年九月十八日突向沈阳侵入北大营的兵房，价值二万万以上的兵工厂，被其夺去，数小时内完全占领了沈阳，逢人便杀，遇机关即占，而翌早占领大东门外飞机场，虏获飞机六十架。继又分占安东，本溪，营口，牛庄，长春等处。二十日更北，进占吉林，向南迫近锦州，又派海军占据秦皇岛。稍迟，黑龙江也归到日军统治之下。整个的满洲都变成了“大日本帝国”的领土。这确是中国历史上第一次见到之事。

不料晴天霹雳的“九·一八事变”，断送了三省肥沃的国土，断送了三千万居民，把全国反日运动鼓荡到沸点以上。而政府在那时候只是坚持“不抵抗主义”，外交上惟一的方法，也只是“诉之国联”，以为国联是主持“公理”的机关，可以替我们制裁日本。而不知国联在那时不过为国际几个大强盗——英法日意——的工具，它们靠此种工具来调和内部的矛盾，以便共同分赃，共同宰割弱小民族。

果然，在我们政府向国联长期哭诉的痛苦经验中，把国际的本来面目彻底揭破了。“九·一八事变”后的第三日，我国外交部即向国联正式提出请求，结果，只得到九月三十日与十月二十四日国联劝告日本撤兵的决议。及日本悍然不顾，又于十二月十日决议派遣调查团。这显然是借此延宕时日，让日本从容布置，造成“事实”。日本是不会失掉一分钟机会的，于是夺取锦州，进攻上海，组织“满洲国”，消灭义勇军。到十九路军退出上海以后，国联始于三月四日（一九三二年）重行讨论行政院之提议，决定“催促两国政府实行停止战斗行为”。从此以后，姗姗来迟的李顿调查团，由美国经过日本来华，调查数月，始写成“精心结撰”面面俱到之报告书。在叙述各种情形之后，建议“组织一种特殊制度，治理东三省”（见第十章）。换言之：对于满洲问题，既不恢复“九·一八”以前的旧状，又不维持现在满洲国的组织。更明白的说：就是企图把满洲从中国分离，放在国际共管之下，建立国际殖民地的新典型。固然与日本不利，但对我国也无一点好处。当李顿报告书提出国联讨论之际，支支吾吾，翻来覆去，于一九三三年二月由十九国特委员通过国联报告书草案，其内容与李顿报告书大抵相同，一言以蔽之，满洲问题在国联议决中已完全葬送了。我们自己不努力积极抵抗，专想人家出来主持公理，甚至希望第三者——美国与苏联——替我“打不平”，把日帝国主义逐出满洲。这是最无聊的幻想，也是最可耻的行为。

现在满洲全非我有，在世界地图上已变颜色，日本帝国主义踌躇满志之后，又开始计划扩大事变，压迫中国政府顺遂日本要求，进而夺取华北了。

第三节　上海抗日战争与停战协定

日帝国主义占领满洲以后，即竭力以谋事变的扩大。适在一月十八日（一九三二年），有日僧五人在上海华界被人殴伤，遂认为千载一时之机会，故意寻衅，调舰增兵，无理要挟。二十日晨，日人结队纵火烧华商三友工厂并杀死华捕一人，杀伤华捕二人。同日下午，上海日侨开居留民大会，游行示威，沿途骚扰。二十四日晚上，日本浪人纵火焚毁日公使重光葵沪寓，以图扩大事态。二十七日，日领向上海市政府提出最后警告，声述二十一日所提四项要求，限二十八日下午六时以圆满答复，否则日海军当采取直接行动。查四项要求中之第四项，指明“关于排日侮日之非法越轨行动，一概予以取缔，尤其应将上海各界抗日救国委员会及各种抗日团体，即时解散之”。市政府向南京政府请示，复电忍痛容纳，依限答复，并将上海各界抗日救国委员会立予解散，其他抗日团体亦予取销。一般人均认为战祸可免，不意驻沪日海军司令盐泽，又突然提出要求立刻撤退北站一带地方之十九路军，否则派陆战队登陆实行以武力驱逐。这样一来，上海抗日战争就终于爆发了。

一月二十八日晚十一时十分，日军陆战队百余人，由北四川路底日司令部开到天通庵，首先占据天通庵车站。继向淞沪铁路及虬江路两方面进攻。同时，江湾吴淞两处亦相继发动。驻沪十九路军分途应战，即将天通庵与北车站恢复。激战两昼夜，日军受重大打击，这是日军所不及料者。遂佯托英美领事出任调停，停战三天，一面密调重兵，准备再战。于是海陆军源源而来，数达十万左右，飞机亦不绝增加，而又借租界为屏障：甚至用达姆达姆弹。结局，在我国英勇的士兵与抗日民众愤怒抵抗之下，终不得逞。相持一月以上，我军抗战的成绩，不独打破一般高等华人不抵抗的卑劣心理，而且胜利的影响，足以转移国际视线。惟十九路军以孤军无援，兵力不敷分配，致浏河方面受敌袭击，三月一日以后，遂向南翔昆山之第二防线撤退。因此，上海血战的胜利，完全化为乌有。虽说毕竟失败，然这次伟大的抗日战争，却是最光荣最有意义的事。

我军撤退以后，和平的声浪即起来了。我国政府接受英美法领的调停，秘派代表至甘特旗舰上谈判，《上海停战协定》在五月五日签字，损失最大的是：据该协定第二条，“华军现时留驻于现在之地点，以待本约范围所及之地域常态恢复之后，再审定办法”。照此限制，则中国军队已剥夺在国内领土上自由驻扎之权，且永无复进淞沪之日。据该协定第三条，“日军将来须撤入公共租界及虹口各马路，即如一月二十八日以前状况，但因现时日军之数量，需地驻扎，故其中之一部仍将暂驻与上述各区毗连之地点”。所谓毗连地点并未规定限线，十里，百里，千里，均可随日本曲加解释。尤有进者，沪战本系“九·一八事变”的扩大，协定全文，没有只字提到满洲问题。这无异表示沪战与满洲无关，无异把满洲问题放弃不管。何况上海所撤之兵，即调至满洲，好以全力对付义勇军，削灭我国抗日的实力？至于英美法领所以拉拢这件事，无非欲使日军早日退出，使上海商场恢复原态，以便厉行经济侵略。于是上海在实际上成为“自由市”了。

第四节　热河失守与塘沽停战协定

日本帝国主义侵略我国，是“既得陇，复望蜀”，一步紧逼一步的。一九三三年一月初间，日军占领山海关后即向热河进攻。据日本外相内田的演说，认热河系“满洲国”之一部，其夺取热河，纯然为“满洲国”内部问题。我国外交部虽对这种荒谬绝伦的演说，以及日军在热河的行动，曾作了几次“文书战”，究竟不能给日本以任何打击。到了三月三日，汤玉麟便弃承德（热河省）而逃，日军仅一百八十人即将承德占领。热河全境，不久就并入“满洲国”的版图。

日本既得热河，仍乘势长驱直入，于是长城各口，先后失陷。到五月中旬、滦河、蓟县、三河、石匣、密云次第卷入日本铁蹄残踏之中。五月廿一日，通州亦失守，平津危在旦夕。当时因英国公使出面斡旋，日本亦以北平关系复杂，态度稍趋和缓，乃有双方磋商停战之举。二十五日，中日代表会商于密云，双方均有停战之意，经连日商洽，定于三十日会于塘沽，协议停战具体办法。至次日上午九时，由北平军事分会总参议熊斌与日本关东军参谋副长冈村宁次分别签字。根据日本所发表的概要如下：

一、中国军即撤退至延庆、昌平、高丽营，

顺义、通县、香河、宝坻、林亭口、宁河、芦台所连之线以西以南地区，不再前进。又不为一切挑战扰乱之举动。

二、日本军为确悉第一项实行之情形，可用飞机或其他方法视察。中国方面应行保护，并与以便利。

三、日本确认中国军已撤至第一项协定之线时，不再越超该线追击，且自动概归还至长城之线。

四、长城线以南，第一项协定之线以北及以东地域内之治安维持，由中国警察机关任之。

五、本协定签字后，即发生效力。

这样一来，不仅长城以外非我有，就是长城以内我国也无驻兵权利。日本呢？他是随时可以南下的，这即是说，他高兴何时取平津就何时动手。反正，有许多"汉奸"为其内应。但我国外交当局则声明"河北停战谈判，限于军事，不涉政治"。难道本国领土以内，不准自己驻兵，果属军事范围吗？

第五节　日本“四·一七”声明与英美态度

日本帝国主义的欲壑是填不满的。既得满洲，就取热河；既得热河，就图华北。现在居然不客气的要吞并全中国了。一九三四年四月十七日，日本外务省竟有如下之声明：

> 日本因其对华关系中之特殊地位，故其对于与中国有关系事件之意见与态度，或不尽与他国相同。但必须了解者，日本须出其全力以行使其使命，而履行其在东亚之特殊责任；日本不得已退出国联者，以国联在意见上不能协定维持东亚和平之基本原则也。虽日本对华之态度有时与外国相异，但此差异乃不可避免者，因日本之地位与使命故也。日本无时不欲维持并增进其对外之友好关系，固无待言，但同时吾人以为为保持东亚之和平与秩序计，吾

人当然必须行动，虽单独行动自负责，亦所不辞，吾人职务所在，不得不为此也。同时能与日本分负维持东亚和平之责任者惟有中国，故中国之统一，中国土地完整之保持，及中国境内秩序之恢复，皆为日本所切望者。证诸历史，此种期望，除中国觉悟及其自己努力外，莫能达之。是以吾人反对中国方面利用任何他国势力以图抗拒日本之任何举动，吾人亦反对中国所采可利用一国以制他国之任何行为。在满洲与上海事变之后，外国所担任之任何联合行动，纵出以技术或金融援助之名义，当然含有政治意味；此种性质之担任，如实施到底，势必发生纠纷，终至酿成如划成如划定势力范围，共管中国，或瓜分中国等问题之讨论。此固为中国最不幸之事，而亦有极重大影响及于日本与东亚也。日本虽未有干涉任何外国在金融或商业问题上各国与中国谈判，既有益于中国而又无碍于东亚和平之维持者之必要，但在原则上，必反对如上述之担任。至于以军用飞

> 机供给中国，在中国建造飞行场，及遣派军事训练官或军事顾问前往中国，或承募借款供给政治用途之经费，则显然可离间中日与他国间之友好关系，而扰乱东亚之和平与秩序。凡此举动，日本将反对之。上述之日本态度，观于日本前已进行之政策，即可知之。但因闻外国现有借名一种名义进行联合之积极运动，故无时不得不重行声明其政策。

这次声明的内容，就是日本以东亚主人翁自居，指斥中国不应该与欧美发生各种直接关系，不应该与国联进行技术合作。换言之，就是日本要做中国的保护者，一方面，中国想与欧美来往当由日本代办；另一方面，欧美想替中国帮忙，须先征求日本同意，这简直以朝鲜第二看待中国了。

不幸民族危机到了千钧一发之际，一般不长进的中国人，自己不团结力量抵抗日本，专想英美出来讲话，专想借华盛顿各国公约为护符。很明显的这是一种幻想。现在且引英美外交当局的言论为证。

四月三十日西门在国会下院声称："按照《九国公约》第一条与第七条，日本有权请其他签字国注意中国境内危及日本安全之任何行为，此种权利，已以保障给予日本。故英政府以为日本之宣言，非志在侵犯他国在华之共同权利，或破坏日本自己的条约义务。"

五月十八日，西门又在国会下院演说："日本半公式声明虽引起许多他国之焦虑，但与交涉者，乃英政府也。日外相广田既向英大使林德莱发庄严之保证，渠安能对友邦政府曰，'余不之信'。任何国未有担任用其武力以保持中国土地完整与政治独立者，《九国公约》仅言尊重领土完整而已，尊重与保持，显有别也。"

可见扯破《九国公约》者不只是日本，而且是英国。美国呢？国务卿赫尔在四月三十日，曾公布提交日本的文件一纸，其内容如下：

日政府近曾表示其对于日本与他国在华权益之态度，此种表示，出自负责方面，故不能忽略视之，而使美政府遵守美日两国政府间关系中之坦率至惯者，有重行声明美国对于所涉及权益问题的地位之必要。美国对华关系，亦犹美国对日及对他国关系，受一般公认的国际公法原则及美国所签条约规定之支配。美国对华有若干权益与义务，且与中国或日本或中日两国及若干他国缔结关于远东权益与义务之多边条约。美国又参加世界各国几皆加入之一个大的多边条约，此项条约惟用载明的与承认的或签约国所议定的手续，始可合法修正之或废止之。美政府在其国际交际与关系中，欲适当顾虑他国之权利义务及合法利益，而亦期望他国政府对于美国之权利义务及合法利益，亦予以适当之顾虑。美国人民与美国政府之意，以为任何一国苟未得有关系的他国之同意，不能合法希图在牵涉其他主权国的权利义务及合法利益之时局中，任意武断。美政府已置美国于善邻政策中，及此政策之实施中，将继续自己并会同他国政府专致其最好努力于此政策。

显然美国不是根据《九国公约》来替中国讲话，而是根据《九国公约》来替自己打算。换言之，即是日本要宰割中国，请分我一杯羹。

照此看来，我们希望英美打不平，希望《九国公约》替我们保障领土，真是“愚不可及”。我们除了群策群力起来与日本肉搏外，还有什么其他方法呢？

总之，我国民族危机已到了险恶万分的程度，这是任何中国人（汉奸自然除外）都能感觉到的。兹引美国外交政策协会远东问题专家皮逊氏的一段话，以资证明！

> 如中国之领土长被侵略，则将降为小国，而为日本所宰制。……日本最近侵占满洲与热河，土地之广，实与一八四二年英国并吞香港以来九十年间，中国所失去之二百四十万方英里相等。……一九〇〇年以来，瓜分中国之趋势继长增高，非任何时期所能比拟。

“人为刀俎，我为鱼肉”便是中华民族目前的命运！我们是坐以待毙呢？还是与命运争斗呢？那就不必去问皮逊先生，倒要问我们自己！

三联经典文库第二辑简目

《游击战教程》　明凡 / 著

《游击战术纲要》　陶剑青 / 编著

《汪精卫卖国的理论与实践》　钱俊瑞 / 著

《抗战以来》　韬奋 / 著

《陕行纪实》　楚云 / 著

《随军散记》　沙汀 / 著

《被日寇囚系半载记》　王研石 / 著

《倭营历险记》　房沧浪 / 著

《活跃的新西北》　田影 / 编著

《保卫华北的游击战》　刘清扬　陈北鸥等 / 著

《徐州突围》　《徐州突围》编委会 / 编

《沦亡的平津》　长江　小方等 / 著

《淞沪火线上》　胡兰畦等 / 著

《瞻回东战场》　长江　罗平 / 著

《东线的撤退》　胡兰畦等 / 著

《抗战中的西北》　徐盈 / 著

《鲁闽风云》　徐盈等 / 著

《西线生活》　西北战地服务团集体创作

《中国解放区见闻》 ［美］福尔曼著 / 朱进译

《全面抗战论》 潘汉年 / 著

《日本的间谍》 范士白自述 / 尊闻译

《日本大陆政策的真面目》 国难资料编辑社 / 编

《民众动员论》 李公朴 / 著

《中国外交史》 钱亦石 / 编著

《太平洋军事地理》 蒋震华 / 著

《世界经济地理讲话》 思慕 / 著

《列强军力论》 ［德］马克斯·威纳尔著 / 宾符 仲持 梅益等译

《近代国际关系史》 张铁生 / 著

《太平洋现势手册》 沈志远 石啸冲 / 编著

《近代世界政治史》 钱亦石 / 著

《从战争到和平——一九四五年的世界政治》 乔木 / 著

《战后日本问题》 思慕 / 著

《最近一年间的国际动态（1946.7–1947.6）》 《东北日报》社 / 编

《论政党》 翟放 / 著

《法与宪法》 韩幽桐 / 编著

《中华民国宪法刍议》 罗家衡 / 著

《民主·宪法·人权——作之民》 费孝通 / 著

《宪法论初步》 潘念之 / 著

《对反民主的抗争》 韬奋 / 著

《农村改进的理论与实际》 江恒源 / 著

《上海产业与上海职工》(上下)　朱邦兴　胡林阁　徐声 / 合编

《陶行知教育论文选辑》　陶行知著 / 方与严编

《中国通货膨胀论》　杨培新 / 著

《中国及其未完成的革命》　H·普拉特著 / 蒋天佐译

《中国的建设问题与人的训练》　卢作孚 / 著

《论中国特殊性及其他》　艾思奇 / 著

《中国经济问题讲话》　钱俊瑞　徐雪寒　王渔邨　姜君辰　骆耕漠 / 合著

《中国经济的道路》　许涤新 / 著

《中国财政之病态及其批判》　孙怀仁 / 著

《官僚资本论》　许涤新 / 著

《五四运动之史的评价》　陈端志 / 著

《中国通史简编》(上下)　中国历史研究会　范文澜 / 主编

《论文学的工农兵方向——读〈在延安文艺座谈会上的讲话〉》　雪苇 / 著

《中国近代史(上编　第一分册)》　武波 / 编著

《文学百题》　傅东华 / 编

《中国史学之进化》　周谷城 / 著

《论民族形式问题》　胡风 / 著

《论批评》　荃麟等 / 著

《中国史纲》(第一卷上下、第二卷上下)　翦伯赞 / 著

《近代中国思想学说史》(1–4)　侯外庐 / 著

《中国政治思想史》（上下）　吕振羽 / 著

《中国哲学史纲要》　向林冰 / 著

《中国政治史讲话》　钱亦石 / 著

《中国社会经济史纲》　王渔邨 / 著

《新财政学大纲》　千家驹 / 著

《太平天国革命运动论文集——金田起义百周年纪念》

华北大学历史研究室 / 编

《理性与自由——文化思想批评论文集》　胡绳 / 著

《战斗者的诗人》　黄药眠 / 著

《国语文法》　曹朴 / 著

《教育哲学》　张栗原 / 著

《妇女问题讲话》　杜君慧 / 著

《婚姻·子女·继承》　沙千里 / 著

《性教育新论》　布士克　雅各生合著 / 董秋斯译

《狱中杂感》　杜重远 / 著

《七人之狱》　沙千里 / 著

《爱迪生传》　伍况甫 / 译

《歌德自传》（上下）　歌德著 / 思慕译

《尼赫鲁自传》　[印度] 尼赫鲁著 / 毕来译

《列宁传》　[苏] 凯尔任采夫著 / 企程　朔望译

《罗斯福总统传》　C. Mackenzie 著 / 张尚之译

《托尔斯泰传》（1–3）　[英] 阿尔麦·莫德著 / 徐迟译

《革命文豪高尔基》　［美］亚历山大·康恩著 / 韬奋编译

《鲁迅纪念特辑》　新中国文艺社 / 编

《回忆鲁迅先生》　萧红 / 著

《人民文豪鲁迅》　平心 / 著

《亡友鲁迅印象记》　许寿裳 / 著

《鲁迅思想研究》　何干之 / 著

《鲁迅研究》　夏征农 / 编

《过来的时代：鲁迅论及其他》　雪峰 / 著

《电影戏剧表演术》　洪深 / 著

《日常心理漫谈》　［美］约瑟夫·查斯特罗著 / 曾宝施译

《心理常识漫话》　朱智贤　杨云美 / 著

《读书的方法与经验》　王任叔 / 著

《美国黑人生活纪实》　［美］加德维尔　斯坦倍克著 / 董秋斯译

《初访美国》　费孝通 / 著

《事业与成功》　［美］马尔腾著 / 汪原放译

《萍踪寄语（初集）》　韬奋 / 著

《一生的幸福前途——〈生活周刊〉信箱选集》　生活书店 / 编选

《深刻的印象》　生活周刊社 / 编

《海外的感受》　生活书店编译所 / 编

ISBN 978-7-108-04456-3
9 787108 044563 >
定价：30.00元